Por sus llagas

Neil Velez

Autor : Neil Velez.
Editora y Transcriptora: Florencia Ledesma.
Director de Concepto : Alex Velez.
Diseñador Gráfico : Ángel F. Méndez.
Diseñador de Estilo : Sebastián Rubio.
Colaboradores: Eddy Frómeta, Kelvin Frómeta, Luis Baré
Felipe Sin, Miguel Catano, Nora Serrano, Graciela Serrano,
Sebastián Rubio.

Editorial: MDJ Internacional
826 E 166th Street
Bronx, NY 10459

Impreso en Colombia por: Gráficas de la Sabana Ltda.
Printed in Colombia

ISBN: 978-958-98032-0-2

Páginas oficial de MDJ Internacional
www.misionerosdejesus.org

E-mail: porsusllagas@hotmail.com

En primer lugar, quiero dedicar este libro a mi Dios, a quien sirvo. Sin su amor y misericordia, nada de lo que hago sería posible.

Por otra parte, también quiero consagrar este texto a mi Señor Jesucristo, ya que gracias a sus llagas yo fui sanado.

A mis padres, Ángela y Nelson Velez, por ser mis modelos de fe. Su ejemplo y su caminar han sido y siguen siendo mis fuerzas.

A mi hermano Alex Velez, quien es más que mi sangre. ¡Es mi mejor amigo!

A mis hermanas gemelas, Marisol y Maryluz, por su amor y apoyo. *Thanks Javi for being my brother!*

A Diamari, Jeggy, C.J., Mikey, Sammy, Brandon, Manuela y Alejandra. *I love u guys!*

A toda mi comunidad llamada Misioneros de Jesús Internacional. ¡Gracias por sus oraciones!

A Miladys Espinal y Rina Rosario por su caminar conmigo tanto en las buenas como en las malas. Su amor es sincero.

A Miguel Catano, Luis A. Baré como así también a Nora y Graciela Serrano.

A mi Obispo, Monseñor Josu Iriondo, por ser un padre espiritual.

A los sacerdotes P. Pedro Núñez, P. Ramón E. Albino Guzmán, P. Carlos A. Mullins y P. Eder Támara Alviz por su respectiva colaboración y apoyo a este libro. Al Diácono Felipe Sin, por su contribución y amistad.

A Florencia Ledesma, en agradecimiento por su esfuerzo, tiempo, dedicación y amor hacia este libro. Supiste captar con tu pluma mis pensamientos. ¡Eres una bendición!

Finalmente, dedico *Por sus llagas* a todos los lectores con el propósito de que ustedes descubran a nuestro Señor Jesucristo, quien tanto nos amó que entregó su vida por nosotros. ¡Y por sus llagas fuimos sanados!

CONTENIDO

CONTENIDO

PRÓLOGO

Neil Velez es una persona que experimentó el dolor de terribles enfermedades y que, al mismo tiempo, vivió en carne propia el gran poder sanador de Jesucristo. Por ello puede, con conocimiento de causa, no sólo identificarse con los que padecen y sufren sino también hacer realidad las palabras de Pedro al paralítico: "Oro ni plata tengo, pero lo que tengo te lo doy. En el nombre de Jesús de Nazareth, levántate y anda." (Hechos, 3:6). En una frase así puede resumirse la vida de Neil Velez.

Tengo entendido que mucho sufrió Neil a consecuencia del quebranto de su salud pero, en medio de su tribulación, supo poner su confianza y su vida toda en las manos de Dios.

Los cristianos creemos que Jesús es la solución de nuestros problemas. Estamos convencidos que Él es el experto en solucionar los casos imposibles. Sin lugar a dudas, así creía y cree Neil quien, después de un largo y doloroso mal, experimentó el milagro de una poderosa recuperación.

Este gran acontecimiento en su vida mueve a Neil a desear que otros reciban el poder sanador de Cristo Jesús. Es así que, dejándose usar por el Señor, Neil hace patente en su vida y en su ministerio, las palabras de Jesús quien dijo: "Vayan por todo el mundo y anuncien la Buena Nueva a toda la creación…. Estas señales acompañarán a los que crean: en mi Nombre echarán demonios…; impondrán las manos sobre los enfermos y quedarán sanos." (San Marcos, 16:15, 17 y 18).

En este libro titulado *Por sus llagas*, Neil comparte algunos de los impactantes testimonios que presenció a lo largo de su vida. Sin lugar a dudas, deja en evidencia que las palabras de nuestro Señor Jesucristo son tan reales, tan eficaces y tan necesarias hoy día como lo fueron cuando por primera vez salieron de la Santa Boca de nuestro Señor.

Sólo dos cosas son importantes, recalca el autor del presente libro: creer en Jesús y dejarnos usar por Él. ¡El resto…lo hace Dios!

¡Disfruten este magnifico libro!

Padre Pedro Núñez
Fundador y Director del Ministerio Mensaje
N. Orleáns, Estados Unidos

Hemos sido sanados

Al contemplar el material del libro *Por sus llagas* de Neil Velez, puedo afirmar como dijo la Santísima Virgen en el Magnificat: "El Poderoso ha hecho grandes cosas". Además, puedo proclamar como dice la Escritura: "El Señor ha estado grande con nosotros y estamos alegres."

Creo que este libro será de gran bendición para el pueblo en general. A través de su lectura podrán experimentar lo que dice el Escritor Sagrado: "Jesucristo es el mismo ayer, hoy y siempre."

Siento que el ministerio de Neil Velez también es de gran bendición para todas nuestras vidas. Le pido al Señor que lo siga protegiendo para que pueda continuar con la misión que Dios le ha encomendado.

Les bendice,

Padre Ramón E. Albino Guzmán
Párroco de Nuestra Señora de La Medalla Milagrosa
Vicepresidente del Comité Nacional de la Renovación
Carismática de la Diócesis de Mayagüez, Puerto Rico

PALABRAS PREVIAS

Hechos que asombran y conmueven

Un racionalista dice: "solamente creo lo que puedo comprobar."

Un creyente afirma: "creo, aunque no pueda comprender."

Este es el milagro de la fe, por la cual el creyente puede aceptar sin comprender.

En este libro, queridos lectores, encontrarán varios hechos sorprendentes, que solamente una fe firme puede aceptar.

Son historias reales, narradas en un lenguaje simple, pero avaladas por el poder de Dios, que puede obrar maravillas.

Neil Velez ha sido testigo de todas estas historias, cuya lectura fortalecerá la fe de los lectores y avivará la confianza en el Señor, "que todo lo puede".

Disfruten la lectura de este libro y al final de cada capítulo oren como lo hicieron los apóstoles, cuando suplicaban al Señor: "Auméntanos la fe", (San Lucas, 17: 5).

Padre Carlos A. Mullins
Autor del libro "El sueño del inmigrante"

PALABRAS PREVIAS

¡Qué bello son por los montes los pies del mensajero!

"Oh, que bello son por los montes los pies del mensajero, que anuncia la paz, que trae la dicha, que anuncia la salvación." (Isaías, 52:7)

Quiero expresar mi aprecio y admiración al amigo y hermano Neil Velez, quien ha sido bendecido por el Señor con el ministerio de sanación y música.

Soy testigo del poder de Dios: para Él nada es imposible.

En las misiones que compartí junto a Neil y los Misioneros de Jesús he visto las maravillas del Señor. También las presencié, a su lado, al desempeñarme como Asesor de la Renovación Carismática de la Diócesis de Montería, Colombia, donde ocurrieron numerosas conversiones, liberaciones y sanaciones prodigiosas.

El libro *Por sus llagas* se trata de una serie de testimonios que revelan el poder de Dios en medio de su pueblo. Sigamos pidiendo al Señor que, a través de su lectura, muchas personas también sean bendecidas con la conversión y sanación.

Doy gracias a Dios por la vida del hermano Neil Velez. Que el Señor y la Virgen Santísima lo sigan bendiciendo y lo mantengan firme tanto en el servicio evangelizador como en la edificación de la Iglesia.

Padre Eder Támara Alviz
Director de la Renovación Carismática
de la Diócesis de Montería, Colombia

Palabras Previas

Un gran impacto espiritual

Por sus llagas es un libro en cuyas páginas el escritor resalta de una forma sencilla y concisa el verdadero amor de Dios hacia sus criaturas. He ahí la gran bendición que encierra este libro, escrito con datos recopilados por el autor durante sus muchos años de servicio al Señor. Les aseguro que sus páginas serán de gran impacto espiritual para el corazón de cualquier persona que se atreva a leerlo.

El hermano Neil Velez, sin lugar a dudas, ha visto con sus propios ojos la gloria y el poder de Dios. Estamos hablando de un hombre que piensa en grande cuando se trata de las cosas del Señor, de una persona dinámica y con gran celo apostólico, que ha logrado vencer los innumerables obstáculos que se le han presentado en su largo recorrido por los cinco continentes del planeta.

Neil es uno de los predicadores laicos que pudiéramos responsabilizar por haber logrado re-actualizar el Evangelio de Jesucristo en cuanto a las muchas curaciones que, aún en estos tiempos, sigue haciendo Jesús a todos los que se acercan a Él con un corazón contrito y humillado.

Conozco a mi amigo y hermano Neil Velez desde sus años mozos. Porque lo conozco bien, y además, he recorrido su trayectoria, estoy convencido que el libro *Por sus llagas* traerá a muchos hijos de Dios que andan dispersos, de regreso a la Iglesia. Por eso, querido lector, te invito a que tan pronto termines de leer este humilde prólogo, hagas una plegaria al Espíritu Santo y te sumerjas en las profundidades de este libro. Yo sé que el mismo producirá un gran cambio en tu vida.

Rev. Diácono Felipe J. Sin
Director de la Renovación Católica
Carismática de Rockville Center, New York

El libro *Por sus llagas* reúne cincuenta testimonios que presencié a lo largo de más de veinte años que llevo ministrando alrededor del mundo. Son sólo un puñado de ejemplos de las innumerables manifestaciones que el Señor me ha permitido presenciar.

A partir de la imborrable experiencia de ser sanado de cada una de mis dolencias, he dedicado mis días a predicar -a través de los medios de comunicación- a un Cristo vivo, un Cristo que sana y un Cristo que salva. Recorro, junto con los Misioneros de Jesús, numerosos países para llevar lo que considero el mensaje más importante para nuestra Iglesia en estos tiempos: el mensaje de fe.

He aprendido, a partir de cada una de las bendiciones que recibí y sigo recibiendo en mi vida, a caminar en fe. No me cansaré nunca de decir que es el único modo de obtener nuestro propio milagro. A partir de dicho caminar, exhorto a cada uno de mis hermanos a que vuelva a poner su mirada y confianza en Dios.

Pero, muchas veces no avanzamos de esa manera. Por el contrario, lo hacemos guiados por lo que los ojos nos muestran. Sin embargo, nosotros los creyentes, no podemos movernos por lo que nuestros sentidos nos revelan, sino por lo que tú y yo estamos creyendo. La Biblia nos dice que el creyente camina no por vista, sino en fe (2-Corintios, 5:7).

Este libro no se trata de una recopilación histórica de testimonios, sino más bien de cincuenta casos que revelan a un Dios vivo, que actúa y que está entre nosotros. Se trata de una invitación a dar pasos en fe, que es la acción del creer. A que el obrar de las personas mencionadas en este libro y bendecidas por Dios te inyecte la fe necesaria para provocar la intervención de Él también en tu vida.

¿Por qué he elegido un libro de testimonios? No tengo duda alguna que la manera más poderosa de evangelizar es a través del testimonio de lo que Dios ha hecho en nuestra vida; de lo que el Señor hace en cada uno de nosotros constantemente.

Recuerdo cuando claramente el Padre Emiliano Tardiff me dijo una vez: "Neil, el arma más poderosa que tú tienes no es que cantes, ni siquiera que prediques u ores por los enfermos.

Lo que verdaderamente está levantando fe en el pueblo es el testimonio que tú cargas, es decir, el testimonio de lo que Dios hizo en tu vida."

Medité en eso por largo tiempo. Llegué a la conclusión de que todos podemos testificar, que todos podemos transmitir a otros el obrar de Dios en cada uno de nosotros, sus hijos. *Por sus llagas* fue precisamente escrito para inspirar a sus lectores a poner en práctica el hábito de testificar y así llevar más almas a los pies de Cristo.

El porqué de los testimonios es muy sencillo de explicar. Dice la Biblia que Dios no respeta hombres, *"God is no respecter of men"*, dice la versión en inglés. Si Dios sanó a tantos hermanos en diferentes países, y todos somos iguales ante sus ojos, a través de estas páginas lo tendrá que hacer con cada uno de ustedes, que también son sus hijos. Así es nuestra fe, así es lo que creemos, y así es lo que sucederá.

Pero, antes de que comiencen la lectura de cada uno de estos testimonios me gustaría hacerles una advertencia. Este libro no es para cualquier lector. ¡Sí, han leído bien! No es ni para el impío ni para el ateo, sino para aquellos que han aceptado a Dios como sanador y salvador de sus vidas. ¡Sin Cristo no hay esperanza!

Por último, si te encuentras listo a asimilar la riqueza espiritual que transmite cada testimonio, te pido que no lo hagas con los ojos de la carne, mas sí con los del espíritu. Abre tu corazón a medida que vayas avanzando en la lectura, para así permitir que Dios vaya transformándote desde el interior hasta convertirte en un hombre nuevo.

Capítulo I
Por sus llagas

Por sus llagas

Me estaba muriendo en la cama de un hospital. Expertos de Texas y California habían viajado a la ciudad de Nueva York para decirme que ya nada podían hacer por mí. Más aún, me habían dado tres meses de vida.

Las válvulas de mi corazón no estaban funcionando correctamente. Se habían formado tumores en mi cabeza que me provocaban convulsiones. Además, uno de esos tumores oprimió el nervio óptico dejándome ciego. Tenía hemorragias internas, vomitaba sangre y caía al suelo bañado en aquel líquido rojo. También padecía meningitis.

"Gracias por todo lo que ustedes han hecho por mí, pero no me voy a morir."

Mientras me encontraba postrado en aquel cuarto, debatía día y noche con Dios. Mi discusión se centraba básicamente en la 1-Pedro, 2:24 la que decía que por sus llagas yo había sido sanado. Recuerdo cuando dicho versículo venía a mi mente una y otra vez sin poder quitarlo de mi pensamiento. Pero, seguía intentando desterrarlo. No lo lograba.

Hacía el esfuerzo de pensar en otra cosa, pero regresaba dicha frase nuevamente. Con cada segundo que pasaba me sentía más y más molesto con el Señor. ¿Por qué estaba tan irritado? Porque dicho versículo me hablaba en un tiempo pasado. No decía que iba a recibir sanación o que esperara ser sanado, sino que yo había sido sanado, poco más de dos mil años atrás en una cruz.

Por supuesto que recordaba perfectamente lo que la teología sostiene sobre aquel versículo. Mas sentía que la 1-Pedro 2:24 me hablaba directamente a mí, a mi enfermedad; que iba aún más allá de dicha interpretación teológica. ¿Cuál era mi problema, entonces?

Mientras aquel versículo aseveraba que tenía salud, mi cuerpo me mostraba precisamente lo contrario. Nací enfermo y mi condición fue empeorando hasta perder la vista y quedar postrado en una cama. Incluso, al descubrir los médicos que nacería en esas condiciones, le aconsejaron a mi madre que abortara para evitar que su vida corriera riesgo.

Pero, a pesar de ello, el eco de aquel versículo retumbaba en todo mi ser incansablemente. Toda esa situación llegó a tal punto que comencé a gritar y a pelear con Dios, diciéndole textualmente estas palabras: "Dos cosas están ocurriendo aquí: todo esto es mentira o yo no te conozco."

En ese momento, escuché una voz muy clara que me respondió: "Hijo mío, tú verdaderamente no me conoces." Ya me sentía molesto, pero con esa respuesta me puse furioso. ¿Por qué?

Porque pasé mi vida entera dentro de la iglesia. Pertenezco a una segunda generación de un ministerio. Mis padres y mis tíos me llevaban desde pequeño con ellos a retiros y vigilias. Recuerdo como si fuera hoy que, cuando me daba sueño, ponían un abrigo en el suelo del lugar donde estuvieran ministrando para que me acostara junto a mis hermanos.

En otras palabras, no conozco otro existir que no sea de iglesia en iglesia. Si yo escribiera que fui rescatado de las drogas o de las pandillas, estaría faltando a la verdad. Esa nunca fue mi vida. Dediqué mis años al Señor. Me formé y me preparé en la iglesia, pasando incluso por un seminario.

A la edad de doce años ya estaba ministrando. Aún más, hoy en día quienes me acompañan en mi ministerio son mis hermanas gemelas, mi hermano y mis primos, entre otras personas.

Entonces, imaginen por unos instantes lo que estaba ocurriendo. Por un lado, estaba dentro de un hospital con los días contados por la enfermedad incurable que padecía. Por el otro, una voz que nítidamente me decía que no lo conocía, a pesar de mi caminar dentro del ministerio desde que tengo uso de razón. ¿Qué no conozco a Dios? Mi indignación aumentaba minuto a minuto. "¡Ni juventud he podido tener por estar en estas cosas!", pensaba una y otra vez. Pero, volvió la voz y me repitió: "Hijo mío, tú no me conoces."

La verdad es que creía conocerlo. He ahí la confusión de muchos que están convencidos de lo mismo que yo pensaba en aquella ocasión. Por un lado, hay algunos que consideran que, por no faltar nunca a misa, ser de Eucaristía diaria, o ser constantes en el rezo del rosario lo conocen profundamente. Otros, están convencidos que por estudiar filosofía, teología o psicología conocen a Dios. Incluso, hay personas que hasta predican sobre Jesucristo y todavía no saben acerca de quién están hablando ¡Yo era uno de ellos!

La enfermedad no me detuvo hasta que perdí la vista. Mientras estaba enfermo usaba mis padecimientos para convertir almas. Daba retiros a los jóvenes y les decía que aún teniendo toda la vida por delante la estaban desperdiciando. "Me quedan tan sólo tres meses de vida. Desearía tener la tuya para hacer cosas grandes en el Señor", les decía. Y muchos regresaban a los pies de Cristo como consecuencia no sólo de esas enseñanzas sino también de mi cercanía a la muerte. Sin embargo, el Señor me enseñó que hablaba de cosas que no conocía.

Creía saber de Él, no sólo por mi preparación sino también por mi educación y experiencia. Mas estaba equivocado. Aquella noche descubrí qué lejos yo estaba de Dios. Representaba el personaje que nos describe la Biblia como el que hablaba de cosas que no entendía, las que solamente conocía de oídas (Job, 42:3-5). Únicamente eso, nada más. Nunca había tenido un encuentro personal con Dios. Pero, ¿saben qué?

Cuando el Señor volvió a hablarme yo comprendí la razón de sus palabras. Como pude, me bajé de la cama, me postré de rodillas y empecé a llorar como un niño. Gimiendo le dije las siguientes palabras: "Es verdad mi Dios. Yo no te conozco, pero hoy quiero conocerte."

Fue el día que hice la oración más importante de mi vida. A partir de ahí, pude humillarme a todo lo que yo era, incluyendo estudios, talentos, dones y formación. Aquel día morí a mi ser y a todo lo que tenía la convicción de conocer. Así pude permitir que Dios naciera en mí.

Instantes antes de concluir la manifestación de aquellas palabras, algo descendió sobre mí. Era un dolor tan fuerte que parecía que mi cabeza iba a estallar. Al no poder resistir lo tremendo de aquel padecimiento, empecé a gritar como un loco en aquella habitación. Tanto gemí que los médicos vinieron corriendo y entraron al cuarto. Al ingresar, rápidamente trataron de sostenerme, pero mis gritos se hacían más y más fuertes. No resistía tal sufrimiento. Luego, de repente, aquel dolor desapareció y reinó la calma.

Al dejar de llorar y secar mis lágrimas, abrí mis ojos y mi vista había regresado. Estaba contemplando los rostros de aquellos médicos que me miraban atónitos. Les decía, lleno de emoción y alegría, que podía ver. Ellos estaban maravillados y enseguida empezaron a hacerme exámenes y descubrieron que los tumores y la meningitis habían desaparecido.

A pesar de que notaron esa mejoría, los médicos manifestaban no comprender lo que había ocurrido conmigo. Decían que era conveniente que no me ilusionara ya que, en contadas ocasiones, ocurren alivios pasajeros. Insistían en recordarme que sólo me quedaban tres meses de vida y que ese hecho era irremediable. Las válvulas de mi corazón eran las que me estaban llevando a la muerte. Estaban tan deformadas, igual que dicho órgano muscular, que ni un transplante me podía ayudar. Pero, aquella noche, en ese hospital, había nacido otro Neil Velez.

A partir de allí, podía comprender lo que Jesucristo había hecho por mí en aquella cruz. Recuerdo que luego de escuchar lo que los médicos me informaron, les contesté: "Gracias por todo lo que ustedes han hecho por mí, pero no me voy a morir." Ellos seguían insistiendo que eran expertos en casos como ese y que no tenían dudas que mi final se acercaba. Por curiosidad, igualmente, me preguntaron: "¿Quién es el que te dijo que ello no iba a ocurrir?" "Dios, les contesté. Por sus llagas yo he sido sanado."

Desde ese momento, comencé a hacer lo que el paralítico retratado en la Biblia hizo. Jesucristo le va a pedir algo antes de él recibir su sanación. Un caminar confiando completamente en Él. Jesús le va a decir: "Levántate, toma tu camilla y vete a tu casa"; San Lucas, 5:17-26. El paralítico confió en sus promesas y en su Palabra: creyó y caminó. Yo voy a imitar la actitud de aquel hombre.

Yo estoy sano por las llagas de Cristo, repetía a quien me dijera lo contrario. Por eso les dije a los médicos que me dejaran ir a mi casa. Sin embargo, ellos se negaban a autorizarme porque seguían considerando que mi condición era crítica. Pero, ante mi firme insistencia, me hicieron firmar unos papeles en los que ellos quedaban eximidos de cualquier tipo de responsabilidad por mi decisión. Finalmente, me dejaron ir.

De regreso a mi casa, descubrí que mi familia había efectuado todos los arreglos correspondientes a mi muerte. Habían contratado la funeraria y comprado, incluso, el terreno donde me enterrarían. "Guarden o vendan el terreno, ya que conmigo no lo van a usar", le dije a cada uno de ellos al enterarme de tal proceder. Empecé a caminar, todos me trataban como si estuviera mal de la cabeza. Los hermanos de la iglesia, en vez de apoyarme en lo que yo creía, me entregaban a la muerte. Por ejemplo, me decían: "Ay, hermanito, aquí en la tierra sufriste. Mas en el cielo no tendrás padecimientos."

Yo sé que esa es la meta. Quiero irme algún día con el Señor, pero todavía no, les manifesté también a ellos. Aún tengo mucho que hacer, como testificar mi sanación. Por sus llagas yo he sido sanado, insistía una y otra vez. No es fácil lograr esa actitud cuando la ciencia, la iglesia y hasta tu propia familia te dicen lo contrario. Pero, más difícil todavía es cuando tu propio cuerpo te dice que lo que tú estás creyendo recibir es pura mentira. Ese era mi caso.

Recuerdo que al salir del hospital, los médicos me dijeron que me acostara y que disfrutara el tiempo que me quedaba con vida. Me sugirieron no hacer ninguna actividad porque, de lo contrario, aceleraría mi enfermedad, acortando más los días de vida que me restaban. Sin embargo, si yo me sometía a la cama estaba dejando de creer en lo que el Señor me había manifestado. Él me decía que yo estaba sano. Yo tenía que creer en su Palabra y empezar a actuar como una persona con pleno estado de salud.

Imité al paralítico, quien tuvo que levantarse primero. Creer en lo que Jesucristo le prometió y hacer exactamente lo que Jesús le ordenó para ser sanado. Yo también hice eso. Me prohibieron hacer actividades y decidí predicar incansablemente. Recuerdo que en mi débil condición tomaba mi Biblia, comenzaba a predicar y enseñaba lo que Jesucristo nos había dado a través de su cruz. Predicaba sobre la 1-Pedro 2:24 y hasta daba testimonio de mi curación.

Muchos de los que caminaban conmigo decían que yo estaba mintiendo, porque la verdad era que mis días estaban contados. No mentía, fe es tener la seguridad que vas a recibir lo que estás esperando, dice la Biblia en Hebreos, 11:1. Y yo caminaba en fe. Era lo que creía. Me acuerdo que hasta mi propia familia llegó a decir que no me tomaran en serio, que no me hicieran caso y que no me siguieran. Está tan grave que perdió la razón, decían constantemente.

Pero, ¿saben qué? La Biblia me defendía contra todos esos ataques. Me decía que esas cosas eran espirituales y que sólo se pueden discernir en el espíritu. Los que están leyendo este testimonio, tal vez, consideren que se trataba de una locura. En cambio, aquellos que leen en el espíritu, que alaban y glorifican a Dios por su grandeza, no lo considerarán de ese modo, porque el espíritu se les da a conocer. Ignorando todas las circunstancias de mi enfermedad, más y más predicaba; no me daba por vencido. Mientras explicaba mis mensajes, sufría hemorragias y la sangre caía sobre el mismo versículo que yo solía predicar en aquella época: 1-Pedro 2:24. Al finalizar, salía por la parte de atrás, me daban mareos y me desplomaba en el suelo, bañado en sangre. Mis hermanos tenían que salir corriendo conmigo al hospital. ¡Cuántas veces arruiné las vestimentas de mis hermanos con mi propia sangre!

Otras veces, permanecía inconsciente por algunos minutos tirado en el piso. Terminados esos episodios, me levantaba con gran esfuerzo y me limpiaba la sangre como podía con mi pañuelo.

Al verlo lleno de sangre le decía: "¡Mentira del diablo! ¡Por sus llagas yo he sido sanado!"

Lo que hoy escribo aquí, es algo que viví y creo con todo mi corazón. De no haber sido así, no habría dedicado mi vida a esta misión, la que llevo ejerciendo por veinte años, desde mi estado crítico en aquella cama del hospital. Pueden llamarme loco o fanático, es decir, una persona que ciegamente cree en algo. Hoy yo estoy parado aquí, porque ciegamente creí en mi Dios. Porque caminaba creyendo en mi Dios. Porque cuando me daban mareos, ahí me levantaba de nuevo. Porque cuando me decían loco, les contestaba que estaba sano. Yo era una persona ciega, y ahora tengo visión.

Dios no respeta hombres, no hace distinción entre unos y otros, porque todos somos iguales ante Él. No me mires a mí como un súper hombre. Tú eres hijo de Dios. Y lo que Cristo hizo en la cruz, lo hizo por ti también. Por sus llagas tú también fuiste sano. A ti sólo te toca creer en ese sacrificio que Él hizo por todos nosotros; en confiar plenamente en Él. Jesucristo hoy te dice a ti: toma tu camilla, vete a casa, porque ya estás sano.

¡Gloria a Dios!

Amadísimo hermano:

No olvides que Dios dispone todas las cosas para bien de los que lo aman, como dice Romanos, 8:28.
Quizás no entiendas lo que estás pasando o viviendo en este momento. El porqué de las circunstancias que han llegado a tu vida. No todo es del mal; a veces, Dios tiene un propósito con ellas.
Tus circunstancias de hoy pueden ser un testimonio del mañana.
Padre, dame la paz y la fuerza necesaria para poder soportar las cosas que son para mi bien.
Te lo pido en el nombre de nuestro Señor Jesús.

Amén.

"Usted es un atrevido"

En una oportunidad, un día sábado, llevamos a cabo una de nuestras misiones de evangelización en la Calle 144 con la Avenida Willis, en El Bronx (Nueva York) con concierto al aire libre, pues la calle había sido cerrada para nuestra actividad. Muchas personas que necesitaban al Señor llegaron al lugar llevando sus enfermos. Mientras los misioneros cantaban, alababan y glorificaban al Señor, me llamó poderosamente la atención una mujer que se encontraba en una silla de ruedas.

Yo soy una persona que me gusta inyectar o pronunciar palabras de fe a todos los hermanos que se cruzan en mi camino. Siempre les voy a decir que el sol va a salir mañana, ya que la lluvia y la tormenta van a desaparecer de la vida de cada uno. Nunca voy a hablar palabras de derrota, de pesimismo o de aceptación de las circunstancias negativas que nos ocurren.

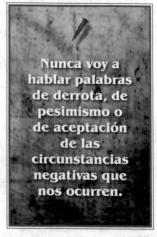

Nunca voy a hablar palabras de derrota, de pesimismo o de aceptación de las circunstancias negativas que nos ocurren.

En las reuniones de servidores, lo primero que les digo a ellos es que el ambiente de nuestros encuentros sea de fe. Que a los que entren se les digan frases como estas: "Hermano, hoy es tu día. El Señor te va a bendecir, el Señor te va a sanar." Y a quienes se encuentran leyendo estas páginas, les digo exactamente lo mismo: háganlo con la convicción de que Dios los va a sanar a través de la lectura de cada uno de estos testimonios. ¡Ustedes también serán testimonios del mañana!

Me dirigí a la mujer que estaba en la silla de ruedas y le pregunté porqué estaba triste, si ese era el día que el Señor la iba a sanar. Esa hermana, con voz tenue y melancólica, me contestó: "Sí, también lo creo." Quienes me conocen saben que si tú me hablas de esa manera tú y yo vamos a tener un problema. ¿Por qué? Simplemente porque soy un testigo de lo que es caminar en fe, soy testimonio vivo de la fe.

Hermana, la volví a tocar y le dije: "Quédese así como está. ¡Usted no tiene fe!" Continué glorificando al Señor, hasta que me interrumpió al tirarme del pantalón y señalarme en un tono de enojo: "Hermano Neil, yo quiero que usted me diga por qué piensa que no tengo fe." Me quedé mirándola y le contesté simplemente: "Se nota tu falta de fe." La volví a ignorar, pero esa vez me pegó con la silla de ruedas, ya que estaba muy molesta. ¡Para eso sí tenía fe: le sobraba para generar pleitos conmigo! Y me dijo: "Usted es un atrevido, pero le pido que me diga porqué cree que no tengo fe." Yo, serenamente, le respondí: "Porque si de veras tuvieras fe, estarías haciendo algo para salir de esa situación. Por el contrario, te has sometido a esa silla de ruedas. Por eso insisto: ¡usted no tiene fe!"

La señora bajó su cabeza y comenzó a llorar. Les confieso que, en más de una ocasión, en mi deseo de contagiar fe en la gente y provocar a la acción, más de una vez me encuentro en problemas semejantes al que estaba en aquel momento. Mientras trataba de consolarla, ella reconoció que tenía razón y me dijo que no tenía fe. Pero, con esas palabras que usted me señaló, siento que adentro de mí hay algo que me está diciendo que me levante de la silla de ruedas. Yo le respondí que, lo que estaba sintiendo en ese momento, es la fe que acababa de nacer en ella, la cual desea glorificar a Dios. Por eso es que no puede haber fe estancada. Fe es la acción del creer, el verbo del creer. La Biblia nos dice que fe sin obras es fe muerta (Santiago, 2:17).

Recuerdo que una vez, una persona me dijo: "Yo no tengo gran fe, como la que usted tiene." Rápidamente le respondí: "Que no tenía gran fe. Que la poca fe que tenía estaba puesta en un gran Dios." Tú no necesitas gran fe. Lo que sí necesitas es aprender a usar la poca fe que tú dices que tienes, ya que en ella hay suficiente poder para mover la montaña más grande de tu vida. Por eso es que la Biblia, en San Lucas, 17:6 nos dice: "Si ustedes tienen un poco de fe, no más grande que un granito de mostaza, dirán a ese árbol: 'Arráncate y plántate en el mar', y el árbol les obedecerá."

La señora en la silla de ruedas volvió a insistir: "Estoy sintiendo algo que me dice que me levante de este lugar." Entonces, le sugerí que no peleara más contra esas sensaciones y le ordené: "¡Levántate en el nombre de Jesús y camina!" La jalé con fuerza, comenzó a dar un paso tras otro y se quedó allí no sólo danzando, sino saltando de alegría.

Yo no conocía la historia de aquella mujer y gracias a Dios, el diablo tampoco me la había revelado. Esta señora tenía cáncer en sus huesos y los médicos le hicieron una cirugía en las rodillas para evitar que se siguiera expandiendo la enfermedad. El lunes siguiente al encuentro del día sábado, ella regresó a ver al médico sin cita previa. Al verla caminar, inmediatamente la hizo pasar a su consultorio, pues no podía salir de su asombro. Llamaron a otros médicos y estudiaron profundamente su caso. Tomaron su historia clínica donde constaban las distintas radiografías que enseñaban el cáncer, como había quedado ella después de la cirugía y las actuales que revelaban la gloria de Dios. El Señor la sanó para que fuera posible que volviera a caminar. Pero esto no termina ahí: cuando la vuelven a examinar, el cáncer de su cuerpo había desaparecido.

¡Gloria a Dios!

Amadísimo hermano:

Estoy convencido de que hoy es el día que el Señor desea levantar un testimonio en ti. Empieza a darle las gracias por lo que hace en tu vida. Para Él nada es imposible. Siente que Dios te arropa con todo su poder y con todo su amor y te restaurará. Tú vales demasiado a los ojos de Dios. Él envió a su hijo para sanar nuestras dolencias y enfermedades. Continúa dándole gracias a Dios, porque eres reflejo de su gloria.

Amén.

Jorge Borges

Un verano, me encontraba orando en la casa de una familia de origen puertorriqueño, en la ciudad de Nueva York. Además de los Misioneros de Jesús, en el grupo se encontraba una joven invitada, quien estaba enferma. Tenía un tumor en su cabeza y nos encontrábamos pidiendo sanación.

Mientras estaba orando por ella, el Señor me mostró una mano con dos dedos extendidos -pudiendo identificarse con el símbolo de la paz- junto con el nombre y apellido de una persona: Jorge Borges.

Al entrar en la vivienda vimos allí reunidos un total de cinco personas: dos hombres, la mujer mencionada y los dueños de la casa. Detuve la plegaria para preguntarle a los dos últimos si alguno de ellos se llamaba de ese modo, conocían o estaban orando por alguien que tuviera ese nombre, pero todos respondieron en forma negativa.

Sin embargo, al ver la forma en que la señora colocó sus dedos, pude únicamente observar la "v" de victoria.

Continuamos alabando a Dios y de nuevo el Señor me reveló la mano junto con aquel nombre. Hice otro intento y esa vez formulé la misma pregunta a ambos jóvenes. Como eran dos, asumí que podía ser uno de ellos, pero respondieron que no. Nos fuimos sin entender lo ocurrido. Ya de regreso al Centro Carismático, pasamos enfrente a un hospital llamado El Calvario, donde se llevan las personas que ya no tienen cura para la medicina. Se los interna allí hasta que mueran, ofreciéndoles una calidad de vida adecuada hasta que el Señor se los lleve.

Con frecuencia, nuestro ministerio visita ese hospital para orar y llevar esperanza a los enfermos que están allí luchando por su vida. Aquel día no estaba en nuestros planes visitar ese hospital. Pero, cuando pasamos por ahí, sentí la inquietud de entrar a El Calvario. Aunque mis compañeros estaban cansados y me pedían de hacerlo al día siguiente -habíamos estado orando por personas enfermas durante toda esa jornada-, insistí que debía ser ese día y no otro. Les sugerí que si ellos estaban muy fatigados, me dejaran allí y partieran. Quisieron acompañarme.

Ya en el hospital, propuse dirigirnos al sexto piso donde se encontraba un hermano del cual nos habían hablado mucho. Al ingresar al elevador, una de nuestras servidoras oprimió el botón del número cuatro, sin darse cuenta de su error. Salimos todos del elevador y, previo a advertir que estábamos en el piso equivocado, alguien leyó el nombre de Jorge Borges en la puerta de una habitación. Las personas que estaban conmigo, inmediatamente recordaron que dicho nombre fue el que mencioné en la oración. No podíamos contener nuestro asombro, encontrándonos atónitos ante la inesperada situación. Golpeé la puerta.

Entré en el cuarto del enfermo donde, además de él, estaban su madre, su tía y una enfermera filipina. Yo nunca había visto a esas personas, pero la madre de Jorge me había conocido en una de mis misiones y al verme exclamó: "¡Gloria a Dios, hermano Neil!" Hace una hora y media, al encontrarme orando en la capilla del hospital, le pedí a Dios que me informara donde se encontraba usted. Por mi parte, maravillado por todo lo que estaba ocurriendo, le hice saber que hace exactamente el mismo tiempo, es decir, una hora y media atrás Dios me había revelado el nombre de su hijo mientras estaba orando por una joven puertorriqueña.

Aquí estoy, le dije, sin saber cómo ni porqué. Por su parte, ella señaló a su hijo enfermo. Al verlo me doy cuenta de su estado vegetativo, es decir, estaba muerto cerebralmente con tubos y máquinas conectadas por todo su cuerpo. Luego agregó, mientras colocaba sus dedos en forma de dos, que ese era el tiempo que le quedaba dependiendo de esos artefactos, ya que clínicamente consideraban que, sin esa unión, Jorge estaba muerto. Por tal motivo, vencido el plazo que otorgó la ciudad de Nueva York de tan sólo dos días, ¡vienen a desconectarlo!

Sin embargo, al ver la forma en que la señora colocó sus dedos, pude únicamente observar la "v" de victoria. Le respondí, entonces, que transcurridos esos dos días vendrán con el propósito de quitar la conexión para que él muera, pero ese mismo día es el que veremos la gloria de Dios. Es así que, convencido del poder de nuestro Padre, me acerqué a Jorge y me puse a orar, cerrando dicha plegaria al pronunciar fuertemente el nombre de Jesús. Al mencionar ese nombre, la enfermera -que no hablaba español- exclamó con lágrimas en sus ojos, mientras doblaba rodillas: *"Jesus is here"*, o sea, Jesús está aquí. Luego me fui.

Al día siguiente, la tía de Jorge vio un movimiento en la mano del enfermo. Convencida de que su sobrino se moría, llamó por teléfono a la madre de Jorge para contarle lo sucedido. La mujer, luego de escuchar las palabras pronunciadas por su hermana, siguió con su mirada puesta en Jesús y le contestó con la frase pronunciada en la oración: "¡En dos días veremos la gloria de Dios!" Terminó la conversación colgando de golpe el teléfono.

A la hora estipulada por el hospital, ocho de la mañana, los técnicos y un médico fueron a la habitación de Jorge Borges para desconectar los aparatos y, para la sorpresa de todos ellos, estaba el paciente sentado en la cama, esperándolos.

Además, es muy importante que también lean el testimonio de Jorge Borges tal como él lo cuenta hoy día que, como consecuencia de su experiencia, es un predicador. Dice que iba caminando en un lugar precioso donde todo era bello, donde sentía paz y alegría. Él seguía a un hombre alto y vestido de blanco, al que quería acompañar. Pero, en ese momento, escuchó gente orando. De repente, una voz potente gritó: "¡En el nombre de Jesús!"

Fue así que el hombre que iba delante de él se detuvo, se volvió hacia Jorge y le dijo: "Jorge, conmigo ya no puedes venir. Han usado mi nombre y mi nombre tiene que ser obedecido".

¡Gloria a Dios!

Amadísimo hermano:

No sé que problemas tú tengas, pero dile al Señor las siguientes palabras: Padre, con mis fuerzas no puedo navegar sobre estas circunstancias. Pero, hoy quito la mirada de mis problemas y la pongo en ti, Señor Jesús. Creo, que como tú invitaste a Pedro a caminar sobre las aguas, que yo también podré caminar sobre las mías al confiar en ti.

Creo Padre que tú puedes obrar en mi vida. Hoy espero respuesta en el nombre de Jesús.

Amén.

Montefiore

Nuestras asambleas de los días domingos se llevan a cabo en el salón destinado para esa actividad del Centro Católico Carismático, ubicado en la zona Este de la Calle 166, del Bronx, Nueva York. Dicho lugar ha tenido que ser acondicionado, en más de una ocasión, debido al número cada vez mayor de personas que se acercan allí todas las semanas para ser testigos de la presencia de un Dios vivo y lleno de poder.

Un día domingo, ante la necesidad de contar con mayor espacio para así ubicar más personas en otro nivel, le preguntamos al Obispo Josu Iriondo -quien reside en el sitio donde se encuentra nuestra comunidad- si podíamos derrumbar una pared, a lo que nos contestó que sí. Al lunes siguiente, a las 8 a.m., empezamos a trabajar ya que debía quedar concluido antes de la reunión del próximo domingo.

"Gracias doctor por todo lo que ustedes han hecho. Ahora quiero que Dios obre en mi hija."

Ese mismo día lunes, por la noche, en un hospital llamado Montefiore, había una niña en terapia intensiva cuyo estado de salud empeoraba minuto a minuto. Ante una nueva crisis provocada por la leucemia (cáncer en la sangre), los médicos estimaron que sólo viviría unas pocas horas más y así se lo manifestaron a la madre. Por esa razón, le dijeron, sería conveniente que fuera avisando a los demás seres queridos para que la muerte no los tomara de sorpresa.

La señora escuchó atentamente. Sin embargo, en vez de llamar por teléfono a algún familiar, se postró de rodillas en un rincón del piso de terapia intensiva del hospital y empezó a orar al Señor, a quien le presentó la situación. Ella cuenta que, en ese instante, oyó una voz que le dijo: "Levántate de ahí, ve hacia el Centro Carismático y busca a los Misioneros de Jesús." Alrededor de treinta y cinco minutos es lo que tardó en llegar del hospital al lugar indicado por Dios. Ella, sin comunicarse con nadie, tomó un taxi al Centro Carismático.

Cuando llegó allí, alrededor de las diez de la noche, las oficinas se encontraban cerradas. El horario de atención es de nueve de la mañana a cinco de la tarde. Por ello encontró el lugar a oscuras, pero no se dio por vencida. Tocó el timbre insistentemente. El obispo, que había llegado de una reunión y estaba haciendo sus oraciones para acostarse, oyó que alguien llamaba a la puerta. Bajó a ver que ocurría y le preguntó a la señora en qué podía ayudarla.

Ella le contó su problema. Le explicó que su hija se estaba muriendo, pero que al estar orando el Señor claramente le dijo que fuera a buscar a los Misioneros de Jesús a ese lugar. Monseñor, por su parte, no recordaba que estábamos trabajando. Le aseguró que no estábamos ahí, sino que nos encontrábamos en las distintas comunidades. Pero ella insistió: "Dios me dijo que ellos están aquí."

Él no quería discutir con ella, deseando que se fuera tranquila. La invitó a conocer el Centro Católico Carismático. Fue así que le mostró la casa de retiro, la capilla, la cafetería y las oficinas. Luego de enseñarle todos esos lugares, la condujo al salón utilizado en la asamblea que, para sorpresa del obispo, tenía la luz encendida. Al abrir la puerta nos encontró allí.

Ella corrió hacia nosotros, sin advertir que estábamos muy cansados, luego de la ardua jornada. También nos relató lo que estaba ocurriendo, incluyendo la parte en que Dios le dijo que fuera a buscarnos. El obispo, al vernos fatigados, trató de intervenir, y le sugirió dejar el asunto para el día siguiente. Ella se dio vuelta y señaló: "Monseñor, Dios me dijo ahora." Nosotros sabíamos que no podíamos ganar la discusión, por la convicción que tenía la señora. Entonces, decidimos ir con ella.

Fuimos un grupo al hospital Montefiore. Cuando llegamos allí nos encontramos con otro inconveniente: el horario de visitas había concluido y, salvo familiares, nadie estaba autorizado a entrar. Entonces la mujer conversó a solas en una esquina con el hombre de seguridad. Ignoro lo que ella le dijo al hombre, pero si es que le habló del modo que lo hizo con el obispo y conmigo, no tenía ninguna duda que nos dejaría entrar. Así fue.

Ingresamos a terapia intensiva de niños. Observé las diferentes habitaciones, con muchas camas con chiquitos por todas partes, en estado grave. Incluso, uno de ellos, estaba muriendo de sida por haber nacido con esa enfermedad. Seguimos caminando allí dentro. Cuando dimos la vuelta a la izquierda, vi que alrededor de una de las camas había mucho movimiento. Aproximadamente nueve personas, entre médicos y enfermeras, daban vueltas en torno a ella. La hermana se dirigió hacia ese lugar con prisa. Al verla, uno de los médicos fue hacia ella y le impidió seguir, igual que lo hizo conmigo. Pronunció las siguientes palabras: "Señora, no puede avanzar. Su hija sufrió una nueva crisis y acaba de morir."

Esa mujer estaba creyendo en algo firmemente. En lugar de llamar a su esposo o a algún otro miembro de su familia, se subió a un taxi y nos fue a buscar con la esperanza de que Dios pudiera obrar en su hija. A pesar de ello, cuando llegó al hospital el médico le comunicó que su hija había muerto. La señora bajó la cabeza y dijo: "Gracias doctor por todo lo que ustedes han hecho. Ahora quiero que Dios obre en mi hija."

Aquel médico, al escuchar sus palabras se sonrió y dijo textualmente: "Está bien, no hay ningún problema". Luego, en tono de burla, repitió al resto del personal las palabras pronunciadas por la señora. Es decir, "que su Dios iba a obrar en su hija", mientras los miró haciendo una mueca. No pude dejar de pensar en aquel pasaje que describe la Biblia en el que, previamente a que Jesús resucitara a la hija de Jairo, la gente se burló de Él (San Marcos, 5:35-43).

Me acerqué a la camilla donde estaba el cuerpo sin vida de la niña. Se encontraba completamente bañado en sangre, pero aún no le habían quitado los aparatos. Se respiraba muerte en todo el ambiente. La máquina me la enseñaba con una raya plana, horizontal y sin movimiento: *the flat* line (la línea muerta). Mis oídos también escuchaban muerte: el típico silbido de *u, u, u, u* era continuo y persistente.

La mamá de la chiquita fallecida me dijo: "Hermano Neil, vamos a hacer lo que Dios nos encomendó." Fue así que me dio la orden de imponer las manos. Yo, por mi parte, no dejé de apreciar en ningún momento la fe increíble de esa mujer. Mirándola fui dirigiendo mis manos hacia el cuerpo de esa niña. Al posarlas sobre su pecho, oré, y terminé mi plegaria con la frase: "¡En el nombre de Jesús!". En ese instante, aquel cuerpo sin vida entró en convulsión. La línea de la muerte empezó a moverse y el ruido de la muerte empezó a modificarse.

Dios tocó con su presencia también a los hombres que estaban allí, llenos de dudas y burlándose, convirtiéndolos en hombres de fe. A tal punto fueron transformados por lo que ocurrió que hasta el día de hoy nos siguen invitando para que demos una clase de "Sanidad Divina" a estudiantes de medicina.

No sólo Dios levantó a la niña, no sólo la sanó de la leucemia, no sólo tocó a aquellos hombres, sino que en el transcurso de la semana siguiente todos los niños alojados en terapia intensiva fueron dados de alta, entre los que se encontraba el pequeño con sida. Ellos quedaron sanos para honra de Dios.

¡Gloria a Dios!

Amadísimo hermano:

Repite junto a mí estas palabras:
Señor, creo en ti; Señor, creo en ti; Señor, creo en ti.
Creo que eres el dador de vida. Creo que eres mi Salvador.
Creo que tú eres la Resurrección y la Vida. Ayúdame a
mantenerme firme en lo que estoy creyendo.
"El que crea en mí hará las mismas obras que yo hago y,
como ahora voy al Padre, las hará aún mayores. Todo lo
que pidan en mi Nombre lo haré, de manera que el Padre
sea glorificado en su Hijo. Y también haré lo que me
pidan invocando mi nombre." Puedes encontrar estas
palabras en San Juan, 14:12-14.

Amén.

Blanca Espinal

Recuerdo claramente el día que Blanca Espinal llegó por primera vez a nuestras asambleas de los días domingo, movida por el anuncio de tratarse de un lugar donde el Señor se manifiesta con poder. Una de sus hijas, María, quien conoció el sitio antes que su madre, quedó completamente enamorada de ese lugar dónde Jesucristo se encuentra vivo y lleno de poder.

María, junto con el resto de sus hermanas, llevó a su madre enferma a nuestras reuniones. Su padre, tiempo atrás, había muerto del síndrome de inmunodeficiencia adquirida (sida), contagiando a su esposa, Blanca, antes de su deceso. Estas mujeres recibieron en las asambleas un impacto tan grande con Cristo Jesús que no tenían ninguna duda de que Él podía obrar en la vida de su madre. Cuando Blanca fue hospitalizada, sus hijas vinieron a buscarme para que todos fuéramos a visitarla. Pero, la situación de ella se complicó aún más debido a que contrajo meningitis y tuberculosis.

"El diablo está azotándome con enfermedades. Sin embargo, esta circunstancia es sólo un testimonio del mañana."

Todas las hijas, junto al resto de la familia, aguardaban a los médicos en el hospital para discutir acerca de la muerte de esta sierva.

Fuimos todos a verla. Estaba alojada en una zona donde nadie podía entrar. Los que podían hacerlo, debían estar completamente cubiertos con una vestimenta semejante a los astronautas ya que la cabeza, las manos y los pies tenían que estar totalmente tapados. Es verdad que ella tenía algunas enfermedades que podían ser contagiosas. Pero, uno debía estar vestido así más por ella que por nosotros, por el peligro que corría por estar en contacto con visitas quienes podían infectarla con cualquier tipo de bacteria.

Cuando entré a su cuarto contemplé un cadáver: una mujer que ya estaba en los huesos, no podía escuchar, veía poco y apenas hablaba. Esta hermana conocía muy bien nuestras prédicas, especialmente mi testimonio "Por sus llagas hemos sido sanados". Una de las hijas le hace saber que yo me encontraba allí. Como pudo, hizo el intento de levantar su cabeza y me dijo: "Hermano Neil, aquí estoy pasando por esta prueba", luego de que la saludé. Ella, con su voz frágil, agregó: "El diablo está azotándome con enfermedades. Sin embargo, esta circunstancia es sólo un testimonio del mañana. El Señor me va a levantar de esta situación, porque por sus llagas yo fui sanada", manifestó convencida.

Sin terminar de pronunciar esas palabras, todos los allí reunidos sentimos el poder de Dios. Estaba convencido de que no era necesario hacer una oración, sino simplemente ponerme de acuerdo con lo que esta mujer estaba creyendo. Le respondí que también lo creía y que "la vería a ella y a todas sus hijas de servidoras en el ministerio dando el testimonio de su sanación". Luego, le tomé las manos y le di gracias a Dios por el milagro que ella ya estaba creyendo recibir y la declaramos sana en fe. Nos retiramos del hospital.

Al día siguiente, Blanca estaba pidiendo comida. Los días pasaron y su vista regresó. Podía escuchar, fue recuperando sus fuerzas y se sentaba. Cuando los médicos entraban en su habitación ella discutía con ellos, porque venían a darle los medicamentos que tenía recetados y ella decía que el Señor la había sanado. Ellos sorprendidos notaron su cambio tanto físico como mental y le hicieron nuevos exámenes. Al llegar los resultados, advirtieron que la meningitis y la tuberculosis habían desaparecido. Le hicieron el examen del sida y ahí siguió Blanca peleando con ellos: "¡Sáquenme de aquí! ¡Me quiero ir a mi casa! ¡Yo no tengo nada!", repetía una y otra vez. Cuando finalmente llegaron los resultados, el virus del sida había desaparecido. Los médicos dejaron que esta sierva vuelva a su casa sana, para la honra de Dios.

Blanca regresó de servidora a la gran asamblea de Nueva York donde dio su testimonio de sanación junto a sus hijas que, hasta el día de hoy, siguen con nosotros en este ministerio. Incluso una de ellas, Miladys Espinal, es la actual coordinadora de Misioneros de Jesús.

¡Gloria a Dios!

Amadísimo hermano:

Tal vez tú, como la hermana Blanca Espinal, estés pasando una prueba de enfermedad.
Pero, en este momento que has leído acerca del poder de Dios, nuevas fuerzas han nacido dentro de ti.
Sé que tienes fe como para mover montañas.
Por eso, quiero ponerme de acuerdo contigo, como lo enseña Jesús en San Mateo, 18:19 y 20: "Si en la tierra dos de ustedes se ponen de acuerdo para pedir alguna cosa, mi Padre Celestial se lo concederá. Pues donde están dos o tres reunidos en mi Nombre, allí estoy yo, en medio de ellos." Oremos creyendo que para Dios nada es imposible, que levanta testimonios donde no los hay. Padre, en el nombre de Jesús, te pido por cada uno de mis hermanos que está leyendo este libro y que necesita ser sanado de sus respectivos padecimientos. Auméntales individualmente la fe y la confianza en ti, como así también llénalos de tu poder para que sientan en este mismo instante que por sus llagas fuimos sanados.

Amén.

El Dios del cómo

Recuerdo claramente el día que me encontraba en una vigilia en Puerto Rico, más precisamente en un campo de béisbol ubicado en Barranquitas. Estaban llegando buses con cientos de personas que asistirían al evento. Ya era de noche cuando, de golpe, se formó una tormenta eléctrica y un rayo dio en una fuente que producía toda la energía al sector donde estábamos. Las luces del campo de béisbol se apagaron inmediatamente. El daño fue tan grande que nos avisaron que tardarían varios días en poder repararlo. Los programadores se preocuparon y me pidieron que canceláramos la vigilia.

Yo sabía que eso no era de Dios, que el diablo no quería el evento. Me decían los hermanos que era peligroso, que despidiera a la gente, pero yo les respondí que el encuentro se llevaría a cabo de todos modos. Me miraban atónitos, sin poder entender la razón de mis palabras. Les dije a los misioneros que me acompañaran a orar. Nos tomamos de las manos, le di gracias al Señor por el encuentro poderoso que nos regalaba, por todas las conversiones y sanaciones que Él ya estaba realizando. No pude dejar de notar que, quienes estaban conmigo, también me miraban extrañados.

Yo le llamo a esos hermanos *metiches espirituales.*

Al terminar de orar, les dije a mis hermanos: "Vamos a trabajar, cada cual tome su instrumento y empiecen a tocarlos." Asimismo, le indiqué al maestro de ceremonias: "Usted, vaya al micrófono y comience a animar al pueblo." Todos me miraron como si estuviera loco y uno de ellos, incrédulamente, me preguntó: "Hermano Neil, ¿cómo vamos a hacer lo que nos pide si todos estos equipos y aparatos necesitan electricidad?"

A veces me asombra la poca fe del pueblo. ¡Cuántas limitaciones le ponemos al Señor! En algunas ocasiones, no vemos la gloria de Dios en nuestra vida por el simple hecho de entrometernos en los asuntos que no nos corresponde. Yo le llamo a esos hermanos *metiches espirituales.* Hermanos, les dije textualmente en aquella oportunidad: "El cómo no te toca a ti, sino que le corresponde a Dios. A ti sólo te toca creer y tener fe. ¡Él es el Dios de lo imposible, el Dios del cómo!"

Siempre les digo a los fieles, como en esa ocasión hice con quienes me acompañaban, que se olviden de las circunstancias y que solamente caminen en fe. Vayan y hagan lo que les digo, sean obedientes. Ellos cumplieron lo que les dije, pero mirando a cada momento hacia mí, no sabiendo que esperar.

Todo el pueblo nos miraba y murmuraba preguntándose qué estaban haciendo esos locos. La verdad es que cuando caminaron en fe y el maestro de ceremonia tomó el micrófono para preguntar: "¿Quién vive?", la electricidad llegó al campo de béisbol. Esa noche, pudimos realizar el encuentro para alabar a Dios.

¡Gloria a Dios!

Amadísimo hermano:

Para Dios no hay nada imposible. Las únicas limitaciones que tiene son las que nosotros mismos le ponemos.
A veces, Dios no obra en nosotros por el simple hecho que no lo vemos posible, que no tenemos la certeza de que va a obrar. Padre, ayúdame a verte en la imposibilidad. Aumenta mi fe, te lo pido en el nombre de Jesús.

Amén.

La tormenta

La primera vez que fuimos a El Salvador, en tiempos de posguerra, no conocíamos la tierra ni sabíamos lo que nos esperaba allí. Llegamos a una provincia llamada El Congo, del departamento de Santa Ana, invitados por la señora Delmis López. Luego de permanecer un tiempo ahí, los hermanos nos dijeron que teníamos una invitación para el departamento de San Miguel, el que quedaba a cuatro horas del lugar donde nos encontrábamos en aquel momento.

Las personas que organizaban la misión consiguieron un microbús que nos llevaría a San Miguel. Un conductor, que además era mecánico, sería la persona responsable de trasladarnos hasta allí. En el camino, luego de varias horas de viaje, se desató una fuerte tormenta de agua en el momento que atravesábamos una zona de la ruta que estaba en construcción. Llovía en forma tan intensa, a esa altura por más de una hora, que el río que estaba cerca se desbordó. El agua, que cruzaba de lado a lado la carretera, dificultaba nuestra movilización, ya que llegaba hasta la puerta del vehículo.

Abrí la puerta y salí caminando en medio del agua y la tormenta para orarle al vehículo.

Teníamos que movernos lentamente, porque nuestro microbús era modesto. Debíamos hacerlo con precaución, mientras que los vehículos pesados de construcción (más grandes y potentes) iban a más velocidad que nosotros, pasándonos por uno de los lados. Pero, uno de esos carros, levantó tanta agua hacia nosotros que mojó el motor, provocando que el vehículo detuviera su marcha. El chofer, luego de investigar qué era lo que había ocurrido, nos confirmó que el agua había causado un cortocircuito que imposibilitaba la continuación del viaje.

Todos los hermanos empezaron a preocuparse, no sólo porque estábamos en tiempo de posguerra con un alto índice de crímenes, sino porque de vez en cuando encontraban personas muertas en dicha carretera. Los misioneros estaban asustados, una reacción normal cuando la gente se encuentra en situaciones semejantes. Pero, en esos casos, nunca se debe olvidar que el diablo utiliza circunstancias desfavorables para robarnos la paz.

Entonces decidí hacer algo para salir de ese lugar. Le pedí al conductor que me abriera la puerta, que quería orar al vehículo. Empezaron a persuadirme de que no lo hiciera con diferentes argumentos. Me decían, por ejemplo, que estaba lloviendo, que no era una ruta segura, que estaba oscuro, y así siguieron enumerando razones para que no bajara. Abrí la puerta y salí caminando en medio del agua y la tormenta. Comencé a hablar con el vehículo y la gente que pasaba por ahí reducía su velocidad para observar lo que estaba haciendo. Mas me concentré en las palabras que pronunciaría y así posé mis manos sobre el automóvil y le dije: "Tú fuiste escogido para llevarnos al encuentro para predicar a Cristo Jesús. Vas a funcionar en su nombre, sometiéndote mansamente a la voluntad de Dios. ¡En el nombre de Jesús te ordeno que empieces a funcionar!" Luego, di gracias al Señor por el arreglo que había hecho.

Fue así que le dije al conductor que pusiera en marcha el microbús. Él me contestó: "Soy mecánico y le aseguro que no se puede hacer nada cuando ocurre un cortocircuito." Le pedí que lo hiciera, sin darme las explicaciones del caso; que le diera marcha cómo quien realiza un acto de fe. El hombre fue obediente y acató la orden. El vehículo hizo el ruido pertinente y arrancó normalmente. Continuamos nuestro camino a San Miguel para predicar la Palabra de Dios.

¡Gloria a Dios!

Amadísimo hermano:

Déjame decirte algo:
para Dios no hay circunstancia grande, ya que para Él
todas son iguales. Somos tú y yo quienes magnificamos
los problemas. Sí, leíste bien, absolutamente todos los
problemas son iguales para Dios. Deposita en Él todas tus
preocupaciones, pues Él cuidará de ti (1 Pedro, 5:7).

Amén.

Dios hace todas las cosas nuevas

A una de las tantas misiones en El Salvador, Sonsonate, fui acompañado por el Dr. Frank Farrera, ginecólogo y actual coordinador de Misioneros de Jesús, Guatemala. Esta misión cambió radicalmente la vida de Frank pues lo convertirá, tiempo después, no sólo en una fuerte columna de Los Misioneros de Jesús Internacional sino también en formador de siervos de fe.

Frank Farrera fue siempre un fiel seguidor del Señor. Había estado siempre trabajando en grupos apostólicos de la iglesia. Conocí al matrimonio Farrera tiempo atrás, en una misión en Guatemala. Su esposa, Verónica, sintió una movilización interior fuerte con el mensaje de fe que allí predicamos. Al finalizar el encuentro, aunque no me conocía, se acercó para pedirme que orara por una joven que acababa de morir. Desde aquel momento surgió una relación especial con esa familia. Diariamente, le pido a Dios que ponga en mi vida a las personas que Él quiera utilizar para continuar su obra en nuestra comunidad.

No sé que ha pasado. Yo mismo le corté y cautericé sus trompas, pero acabo de examinarla y todavía las tiene intactas.

En aquella oportunidad, no tuve dudas de que ellos serían los coordinadores en Guatemala de lo que hoy es Misioneros de Jesús, en el mencionado país. Los empecé a invitar a que viajaran conmigo a diferentes misiones. Nos encontrábamos en Sonsonate, El Salvador, en una vigilia que se estaba desarrollando un sábado por la noche. Durante la oración, el Señor me dio una palabra de conocimiento y me hizo saber que Él estaba sanando a alguien que no podía tener hijos.

Mucha gente estaba pasando para dar su testimonio de sanación pero, previamente, debían hablar con los servidores sobre quienes pesaba la decisión de si expondrían o no su caso ante el público.

Uno de nuestros colaboradores, Frank Farrera, era quien estaba hablando con la gente que se acercaba a revelar sanaciones de todo tipo. Llegó ante él una mujer muy emocionada, con lágrimas en sus ojos, y le dijo: "Hermano, yo quiero dar mi testimonio." Entonces el servidor le preguntó: "¿Cuál es su testimonio?" Ella le respondió: "Soy la persona que el Señor sanó, la mujer que no podía tener hijos. Hace tiempo fui esterilizada, me cortaron las trompas de Falopio y me las cauterizaron." Pero luego de escuchar atentamente la versión de la mujer, inmediatamente Frank la descartó como posible, ya que su instinto de médico asomó a la superficie. Incluso, él como ginecólogo, había realizado esa cirugía en varias ocasiones. Por eso, sabía muy bien que esa mujer no podía quedar embarazada, e ignoró su testimonio. Igualmente, la señora se fue de allí creyendo firmemente que Dios había hecho un milagro en su vida.

Dos días más tarde, en nuestro día de descanso y luego de unas jornadas intensas llenas de la presencia de Dios, nos reunimos a almorzar en el restaurante de *Doña Laura*, en Ágape. Recibí una llamada por teléfono de una mujer que gritaba histéricamente mientras me contaba lo que le había ocurrido. Me dijo que estuvo en la vigilia del día sábado, luego de un viaje de alrededor de cuatro horas, pues residía en San Miguel. Que ella perfectamente escuchó cuando decía que había una mujer que no podía tener hijos y que Dios la estaba sanando. Que quiso brindar su testimonio, mas Frank le dijo que no era ella. Que no obstante lo ocurrido, salió del encuentro con mucha fe y convencida de lo contrario. Que al lunes siguiente, luego de esperar con mucha ansiedad aquel día, lo primero que hizo fue ir al médico pidiéndole que la volviera a examinar. Por su parte, el ginecólogo se negaba a hacerlo; pero, ante su insistencia, accedió. Le quiero contar lo que pasó a partir de allí, pero mejor hable con el médico a quien tengo acá al lado.

Cuando ella me dijo esas palabras sentí inmediatamente que ese testimonio no era para mí, sino para Frank, a quien le pasé el teléfono. Al preguntarme quién era que llamaba, le respondí que sólo atendiera. Entonces entablaron una comunicación de médico a médico. El interlocutor, desde el otro lado, dijo: "No sé que ha pasado. Yo mismo le corté y cauterice sus trompas, pero acabo de examinarla por salpingograma y todavía las tiene intactas. ¡Dios las hizo nuevas!", fueron las textuales palabras del médico, no sabiendo que otra explicación podía dar.

Al año siguiente, la mujer tuvo un hijo varón. Frank Farrera es hoy en día un gran siervo de Dios, a quien el Señor utiliza poderosamente.

¡Gloria a Dios!

Amadísimo hermano:

No desconfíes del Señor. Ten la plena seguridad que Él escucha tu oración. La Palabra de Dios nos dice:
"Porque los ojos del Señor están sobre los justos, y sus oídos atentos a sus oraciones…". (1 Pedro, 3:12).
Da gracias a Dios, pues Él ya te escuchó.

Amén.

Joshua

En una oportunidad que me encontraba en la República Dominicana, junto con el ministerio M.D.J. (Misioneros de Jesús), en un sector llamado Las Uvas, de la ciudad De la Vega, Dios premió la labor de dos misioneros que se encontraban conmigo. Durante el momento de la oración, luego de terminada la prédica, el Señor me dio un mensaje para una pareja de hermanos muy queridos del ministerio llamados Ricky y Mayra Agron. Les dijo, en aquella oportunidad y a través de mi persona, que al año siguiente estarían abrazando su bendición: un hijo varón, a quien pondrían el nombre de Joshua.

Lo asombroso de aquella situación era que dicha pareja no podía tener hijos. Con once años de casados aún no tenían la dicha de contar con descendencia. Mas ellos no se desanimaron ni inquietaron. Por el contrario, Ricky y Mayra perseveraron en el Señor, convirtiéndose en dos leales siervos. Ellos habían viajado para acompañarme en la misión, que tuvo lugar en el mencionado país. Creo, en lo profundo de mi corazón, en la recompensa que da el Señor a aquellos que saben esperar en Él, siguiendo sus caminos y convirtiéndose con su ejemplo en bendición para otros.

Dios dijo que al año siguiente estarían abrazando su bendición: un hijo varón, a quien pondrían el nombre de Josué (Joshua).

Le dijo Dios a Abram: "Haré de ti una gran nación y te bendeciré; voy a engrandecer tu nombre, y tú serás una bendición" (Génesis, 12:2). El hecho de ser canales de la gracia de Dios en la vida de otras personas es lo que atrae la mirada y el favor del Señor hacia nosotros. Además, las promesas hechas a Abram se aplican a nuestra vida. No a la de todos los seres humanos, sino exclusivamente a la de los creyentes. Ellos, al escuchar el mensaje que les transmití, se emocionaron y, con lágrimas en sus ojos, se abrazaron mientras le daban las gracias a Dios por todo lo que hizo por ambos.

Mientras seguíamos en diferentes sitios llevando el mensaje de Dios, empezamos a notar cambios en Mayra. Normalmente ella es una mujer tierna y dulce pero, de la noche a la mañana, dio un cambio tan drástico que todos estábamos azorados. Todo le molestaba: se cansaba, tenía náuseas, le disgustaban los olores, y por si esos ejemplos fueran pocos, cualquier cosa que hacía o decía su marido ella consideraba que estaba totalmente equivocado.

Por supuesto que, en aquel momento, ninguno recordó lo que me había revelado el Señor durante la oración en Las Uvas. Ricky, preocupado, le decía: "Cuando regresemos a los Estados Unidos, te voy a llevar a un médico para que te examine. Porque de verdad: "¡no te soporto ni un minuto más, mujer!" Y así, de regreso a la ciudad de Nueva York, el doctor le dijo que estaba embarazada.

A los nueve meses nació mi *Godchild* (ahijado) llamado Josué.

¡Gloria a Dios!

Amadísimo hermano:

Escucha la voz del Señor que hoy te dice: "Cuando llegue ese día ya no tendrán que preguntarme nada. En verdad les digo que todo lo que pidan al Padre en mi Nombre se lo concederá. Hasta ahora no han pedido nada en mi Nombre. Pidan y recibirán, así conocerán el gozo completo."
Esas palabras pueden leerse en San Juan, 16: 23 y 24.

Amén.

México

Jesús en San Marcos, 11:24 nos dice: "Todo lo que pidan en la oración, crean que ya lo han recibido y lo obtendrán."

En una oportunidad me encontraba en México, en una misión. Estaba predicando en el patio de una amplia casa de una familia de ese lugar, la que estaba desbordada de gente con distintas necesidades, tanto físicas como espirituales. Los dueños de la casa habían querido realizar dicho encuentro en el templo, mas el sacerdote -que no era carismático- se opuso, pues no creía en las sanaciones.

La mayoría de la gente allí presente se burlaba de ella por sus manifestaciones de estar sana.

La noticia se había extendido de forma tal -anunciando a unos misioneros que habían llegado de los Estados Unidos de América- que gente de la comunidad y personas fuera de ella, se habían acercado a ese lugar para estar presentes en el encuentro. El sacerdote -que se había negado a que la asamblea tuviera lugar en su parroquia- tenía una tía que era coja: le faltaban seis pulgadas de un pie.

La mujer decidió asistir, a pesar de que su sobrino se oponía a que fuera, quien además, ridiculizaba el evento. Ella, atentamente, escuchó la prédica que estuvo dedicada especialmente a la fe. Cómo creer y esperar en Dios ante nuestros problemas y dificultades. En el momento de la oración, ella cerró sus ojos, levantó sus manos y con la fuerte convicción de que Dios estaba allí comenzó a alabarlo. Al sentir un calor que la arropó, con fe y los brazos aún en alto dio las gracias a Cristo Jesús, pues creía que Él la estaba sanando.

Recuerdo claramente que estaba orando en la parte delantera de la casa, donde habían colocado una tarima de madera, y ella estaba alabando al Señor con todo el pueblo.

De repente, desde la parte de atrás, ella comenzó a gritar fuertemente sin dejar de dar las gracias a Dios por haberla sanado. Todo el mundo la dejó pasar y fue así que decidí invitarla a que subiera a la tarima. La mayoría de la gente allí presente se burlaba por sus manifestaciones de estar sana, ya que todavía se dirigía hacia el frente cojeando.

Cuando llegó hasta la tarima guardó silencio y le pregunté que le había pasado. Ella emocionada, me dijo textualmente: "El Señor me ha sanado mi pierna." Entonces agregó, con lágrimas en sus ojos, que cuando llegó a ese lugar le faltaban seis pulgadas de una de sus extremidades, pero el Señor ya se había ocupado de ello.

De nuevo los presentes rieron a carcajadas y yo les pedí que guarden silencio. Le volví a preguntar si era cierto lo que decía, a lo que me insistió que sí, aunque a la vista de todos seguía igual, es decir, coja. Sin embargo, el Señor la había sanado. La hermana usaba una bota especial que tenía un taco con seis pulgadas para poder balancearse, porque la desigualdad de sus piernas no era poca. Al ella seguir insistiendo que estaba sana, mandé a quitar su taco y, a partir de ese momento, comenzó a caminar perfectamente ante el asombro de todos los allí presentes.

Al día siguiente, el sacerdote se presentó personalmente a donde nos encontrábamos y nos pidió una sincera disculpa. Con lágrimas en los ojos nos invitó a que lleváramos ese encuentro de Dios dónde tendría que haber estado desde el comienzo: en la casa del Señor.

¡Gloria a Dios!

Amadísimo hermano:

El Señor nos dice: cuando oren, no sean como los hipócritas porque a ellos les encanta orar de pie en las sinagogas y en las esquinas de las plazas para que la gente los vea. Pero tú, cuando te pongas a orar, entra en tu cuarto, cierra la puerta y ora a tu Padre que está en lo secreto. Él que ve lo que se hace en secreto te recompensará. Al orar, no hablen sólo por hablar como hacen los gentiles, porque ellos se imaginan que serán escuchados por sus palabras. No sean como ellos, pues su Padre sabe lo que ustedes necesitan antes de que se lo pidan.

Ustedes deben orar así (San Mateo, 6:5-13): "Padre nuestro que estás en el cielo, santificado sea tu nombre, venga a nosotros tu reino, hágase tu voluntad en la tierra como en el cielo. Danos hoy nuestro pan de cada día, perdona nuestras ofensas como también nosotros perdonamos a los que nos ofenden. No nos dejes caer en la tentación y líbranos del mal."

Amén.

CAPÍTULO II
ESPÍRITU SANTO

Espíritu Santo

La forma en que veo al Espíritu Santo es la de un niño: no sólo frágil y tierno, sino también lleno de sentimientos. Tanto es así, que la Palabra nos dice que el único pecado que no se perdona es aquel que ofende al Espíritu Santo. Además, Efesios, 4:30 nos dice: "No entristezcan al Espíritu Santo de Dios". Dios, por su parte, siempre lo quiere proteger porque es como una criatura. Cuando está alegre y contento, siempre se encuentra a tu lado acariciándote, mientras que cuando le haces algo que no le gusta, se pone triste y se aparta de ti.

Puedo distinguir claramente cuando el Espíritu Santo está contento conmigo y cuando le he ofendido. Si está feliz siento su presencia, percibo que me busca constantemente; por el contrario, cuando lo he ofendido soy yo quien tiene que acercarse a Él. Les cuento estos detalles para que puedan ustedes establecer una relación personal no sólo de palabras, sino una experiencia de amistad. Pero, como toda relación, hay que quererla y buscarla. La pregunta que les formulo es la siguiente: ¿Cómo vas a tener una relación con alguien que no conoces?

"Neil, yo le hablo, le hablo y nada; Él no me responde." Le contesté: "Hermano, es que le hablas tanto que no le das una oportunidad de responderte."

No hay dudas de que debemos comenzar por conocerlo para poder tener una relación con Él. Hay una cosa fundamental para que podamos lograr una cercanía con el Espíritu Santo: la oración.

La oración es establecer un diálogo con Dios. Tú hablas y luego Él te habla, es decir, tienen una conversación. Hay un refrán que dice: "Hablando es como nos entendemos".

Es verdad. No hay mejor manera de conocer a alguien que hablando con la persona que se desea conocer. Pero no me estoy refiriendo a rezos ni a oraciones leídas, aunque ellos sean necesarios para mantener nuestra mente en Dios.

Además, debe haber un momento para hablar con Dios. Tú y Él a solas, momentos de intimidad en su compañía. Algunas personas me preguntan: "Hermano Neil, ¿qué le digo? ¿Qué palabras uso en ese momento?" Yo siempre respondo que la oración perfecta es aquella que sale de lo más profundo del corazón, efectuada con sinceridad y seguridad.

Hablar de igual modo que le hablas a tu esposo, esposa, hijos, o amistades. Con la misma seguridad que le hablas a ellos, ya que sabes que te escuchan, que te prestan atención y que van a responder. Esa es precisamente la seguridad con que debes dirigirte a Dios y debes esperar su respuesta. Un hermano me dijo una vez: "Neil, yo le hablo, le hablo y nada; Él no me responde." Le contesté: "Hermano, es que le hablas tanto que no le das una oportunidad de responderte. Como en todo diálogo, hay que saber escuchar. Hermano, Dios nos responde."

Jeremías, 33:3 nos dice: "Clama a mí que yo te responderé; te enseñaré cosas grandes y ocultas que tú desconoces." Tenemos un Dios que si le hablamos nos escucha y si nos escucha también nos responde (I-Juan, 5:14-15). De eso se trata la confianza que tenemos puesta en Él, que sabemos que nos escucha en cualquier cosa que le pidamos, conforme a su voluntad. Y, si sabemos que nos escucha en cualquier cosa que le pidamos, tenemos la certeza de que tendremos lo que le hemos pedido. En San Juan, 11:41 Jesús mismo nos enseña que Dios nos escucha.

Busca un lugar a solas donde nadie te moleste, sin televisión ni radio, solamente donde estén tú y Dios. Yo tengo momentos de oración en comunidad donde gozo con mis hermanos, pero hay espacios que no los comparto con nadie: es en mi oración personal e íntima con Dios.

Dicha oración la hago a las 4:30 a.m. Es una hora donde nadie me interrumpe; una hora que significa morir a la carne cuando mi cuerpo lo que quiere es dormir. De ese modo lo obligo a ser espiritual.

Club 4:30 a.m.

La primera vez que la gente escuchó el testimonio que voy a hacer referencia en este espacio, un grupo de hermanos decidió espontáneamente unirse para orar a las 4:30 de la madrugada, formando una especie de club que, con el tiempo, fue llamado 4:30 a.m. No fue mi intención, al contar el testimonio, formar grupo alguno. Nació naturalmente del pueblo y de las experiencias de ellos con sus momentos de oración.

Al principio, cuando elegí esa hora como el momento que iba a dedicar a mi conversación a solas con el Señor, comencé a poner el reloj despertador todos los días a las 4:30 a.m. Escogí esa hora porque quería obligar a mi cuerpo a ser más espiritual, muriendo diariamente a la carne, como lo señalé anteriormente. Luego de sonar el despertador, me levantaba con mucho sueño y comenzaba a orar.

Diariamente, muchas personas me preguntan cuánto es el tiempo que deben dedicar a la oración. Siempre les respondo que es hasta que cada uno quede conforme. Puede ser media o seis horas, dependiendo de lo que cada uno sienta interiormente.

Luego de continuar por varios meses con el hábito de despertarme a las 4:30 a.m. para orar, llegó el momento en que mi cuerpo se acostumbró a esa hora de la madrugada. Abría mis ojos sin necesidad de que suene ninguna alarma, y era justo la hora de orar. Mis mejores momentos de diálogo personal con el Señor han sido a esa hora. Aprendo, lloro, río y me deleito en Dios. Incluso, muchas de las cosas que enseño, me han sido reveladas en esos momentos de intimidad.

Querido hermano, quisiera que antes de continuar leyendo el siguiente testimonio busques un lugar donde estés a solas, donde nada ni nadie pueda interrumpir la paz de este momento. Quiero presentarte a un amigo que está deseoso de iniciar una relación personal contigo. Invítalo tú mismo, ya que ansía conocerte. No dejes que este instante se te escape. Sé que lo estás sintiendo ahora mismo, mientras sigues cada una de mis palabras. Únicamente ábrete a Él y déjate amar por su presencia. Deléitate, tómate tu tiempo para que dialoguen. Luego, continúa con la lectura.

Pero, con el transcurso del tiempo, cosas extraordinarias empezaron a ocurrir a las 4:30 a.m. y también fuera de esos momentos. Por ejemplo, creía que mi cuerpo estaba acostumbrado a esa hora por el despertador que sonaba día tras día. Sin embargo, al llegar en misión a países con varias horas de diferencia, igualmente me seguía despertando a esa misma hora del lugar donde yo estaba. Si me encontraba en Londres, con cinco horas de diferencia con Nueva York, me levantaba a las 4:30 a.m., hora de Inglaterra.

Fue así como empecé a sentir el Espíritu Santo a toda hora: en mi casa o fuera de ella. Cuando me encontraba en la calle tenía la necesidad de estar con Él y, por ese motivo, permanentemente lo buscaba. Me di cuenta de algo: que tanto me había acostumbrado yo a Él como Él se había acostumbrado a estar conmigo; por eso, incluso me buscaba fuera de las 4:30 de la madrugada.

Aún en la época que estaba viviendo en casa de mi tía, seguía con mi costumbre de orar siempre a esa hora de la mañana. Un día que estaba por salir a una misión a El Salvador, los cuatro habitantes de esa vivienda (mis tíos, prima y yo) teníamos puestos nuestros despertadores a la hora que cada uno debía levantarse para cumplir con sus respectivas obligaciones. Mi tío colocó el suyo para que sonara 5:30 a.m., mi tía a las 6:30 a.m. y mi prima 7:30 de la mañana.

Siendo la madrugada del día siguiente a mi partida, todos los despertadores sonaron a las 4:30 a.m., con la consecuente llegada tarde de mi tío a su trabajo. Mi tío, al advertir lo temprano que era, apagó el despertador y siguió durmiendo. Pero, como se le olvidó poner nuevamente el reloj en el horario que debía levantarse, se quedó completamente dormido, y no pudo entrar a la hora usual a su trabajo. Ocurrió exactamente lo mismo la otra madrugada, es decir, los tres despertadores volvieron a sonar a esa misma hora y mi tío nuevamente llegó tarde a su trabajo. Al tercer día, sucedió algo idéntico, pero mi tío compró un nuevo despertador, creyendo que el otro estaba dañado. Sin embargo, al día siguiente todos los despertadores, incluyendo el nuevo, sonaron a las 4:30 a.m.

Por fin, mi tía recibe discernimiento recordando que, a las 4:30 a.m., era la hora que yo dedico exclusivamente a conversar con el Señor, interpretando que probablemente Dios quería hablar con alguno de ellos. Cuentan que, cuando comenzaron a orar, sintieron como descendió el poder de Dios sobre ellos. Por esa razón, jamás han dejado de orar a esa hora, convirtiéndose así en los primeros miembros de lo que se llamó con el tiempo Club 4:30 a.m.

Diariamente recibo cartas de personas que han escuchado el testimonio y se unen al club contando sus propias experiencias extraordinarias.

¡Gloria a Dios!

Amadísimo hermano:

Si aún sientes la presencia del Espíritu Santo, disfrútala. Con confianza, síguele hablando. Luego, guarda silencio para poder escucharlo. Tu vida jamás será igual.
"Somos débiles, pero el Espíritu viene en nuestra ayuda. No sabemos cómo pedir ni qué pedir, pero el Espíritu lo pide por nosotros, con gemidos inefables. Y Aquel que penetra los secretos más íntimos entiende esas aspiraciones del Espíritu, pues el Espíritu quiere conseguir para los santos lo que es de Dios." Dicha cita puede encontrarse en Romanos, 8:26-27.
Espíritu Santo, te pido que enamores y que seduzcas a tu hijo en este instante con tu gracia como con tu poder. Derrama una unción fresca sobre cada uno de mis hermanos. ¡Sopla Dios en el nombre de Jesús!

Amén.

Hay que nacer del agua

"El que no renace del agua y del Espíritu no puede entrar en el Reino de Dios." (San Juan, 3:5)

Hay muchos que piensan que las personas deben bautizarse en una edad adulta para así poder entender la esencia del acto que realizan y del compromiso que asumen, pero decidiendo libremente si quieren o no tomarlo. Quiero compartir un testimonio con ustedes para que entiendan la importancia del Sacramento del Bautismo en los niños.

En general, mi vida como predicador se divide básicamente en dos aspectos. Por un lado, suelo estar de viaje en alguna misión. Por el otro, cuando no lo estoy, acostumbro a rea-

Comencé entonces a orar por él cuando suavemente el Señor me dijo estas palabras: "No está bautizado."

lizar diferentes apostolados ya sea visitando enfermos en los hospitales o en sus casas. Un día, recibimos una llamada en el ministerio pidiendo oración para un niño que se encontraba internado en un hospital del condado vecino de Nueva York, New Jersey. El pequeño se encontraba en coma debido a problemas renales, sin dar los médicos probabilidades de que viva por mucho tiempo.

Como me encontraba en Nueva York, le dije a un hermano del ministerio llamado Jerry Orozco que tomaríamos nosotros ese apostolado. Partimos hacia New Jersey. Cuando llegamos al hospital, encontramos a los padres del pequeño Daniel quienes nos contaron lo terrible del caso de su hijo.

Debo confesar que a mí no me gusta escuchar la gravedad de los problemas, pero sí la conversación acerca de la grandeza de Dios. Por tal motivo, me separé de ellos y entré al salón de cuidados intensivos donde estaba Daniel. Comencé entonces a orar por él cuando suavemente el Señor me dijo estas palabras: "No está bautizado". Sintiendo fuertemente la presencia de Dios, le di las gracias, entendiendo además, la misión que me había encomendado en aquel instante.

Salí de terapia intensiva y me reuní de nuevo con el grupo de personas quienes todavía seguían hablando con Jerry sobre el estado de salud del niño. Estoy convencido de que nosotros le damos demasiada autoridad a nuestros problemas, cuando lo que tenemos que hacer es concentrarnos en el poder de Dios.

Los interrumpí para no dar autoridad a ninguna circunstancia. Entonces, les pregunté a los padres si el niño estaba o no bautizado. Me respondieron que no lo estaba, aunque no quise indagar la razón de ello. El pequeño tenía ya cuatro años. Les dije que antes de orar por él sentía que debían bautizarlo.

El santo Bautismo, según lo define el Catecismo de la Iglesia Católica, "es el fundamento de toda la vida cristiana, el pórtico de la vida en el espíritu y la puerta que abre el acceso a los otros sacramentos. Por el Bautismo somos liberados del pecado y regenerados como hijos de Dios." Enseguida los padres de Daniel me preguntaron cómo podían bautizar a su hijo. Fue en ese momento que llamé a mi obispo, presentándole el caso. Él me explicó que, en situación de emergencia, se podía bautizar a un niño sino era posible contar con la presencia de un sacerdote. Mas los padres, en este caso, debían asumir el compromiso de ir luego a su parroquia y registrarlo. Me dijo pues lo que debía hacer.

Regresé y les hice saber que bautizaríamos a Daniel. Los padres del niño escogieron al hermano Jerry como padrino y a una tía que estaba allí presente como madrina. El pequeño estaba en coma debido a la gravedad de su condición. Empecé la oración correspondiente al sacramento y al derramar el agua sobre su frente pronunciando las palabras "En el nombre del Padre, del Hijo y del Espíritu Santo", el niño reaccionó llorando e inmediatamente comenzó a llamar a su madre. Todo ello ocurrió antes de terminar de pronunciar aquellas poderosas palabras.

Despierto del coma, los médicos examinaron a Daniel advirtiendo que sus riñones estaban perfectamente bien. Por eso hermanos, ¡hay que nacer del agua!

¡Gloria a Dios!

Amadísimo hermano:

Quizás, al estar leyendo estas palabras, todavía estés pensando si debes o no tomar la decisión de aceptar a nuestro Señor Jesucristo como tu Señor y Salvador. Tal vez, éste sea el mejor momento para hacer esa confesión de fe. Si quieres orar conmigo en este momento, inclina tu cabeza y haz esta oración: Señor, me humillo ante tu presencia y te pido que tengas misericordia de mi alma. Reconozco que soy un pecador y que necesito salvación. Por eso, es que en este día te hago una invitación a entrar en mi vida. Hoy te acepto Jesús como mi Señor y Salvador.

Amén.

Sacramento de sanación

Cada tres meses, nuestra comunidad en Nueva York celebra lo que hemos llamado Semana de Milagros. Consiste en siete días ininterrumpidos de oración, en la que también se realizan distintas actividades. Miles de personas piden a Dios por esa semana tan especial, orando cada tres horas y guardando ayuno el día jueves.

Los jueves, por otra parte, tenemos un día dedicado a la liberación donde llegan muchas personas con distintas necesidades físicas como espirituales y se celebra el sacramento de la Unción de los enfermos. Actualmente, los encuentros de liberación se llevan a cabo en el Centro Católico Carismático.

A la reunión a la que voy a hacer referencia, concurrió como invitado el Padre Josu Iriondo, quien aún no era obispo, y a quien le pedimos que ungiera a los enfermos allí congregados.

En el momento que el sacerdote se preparaba en la Sacristía, al tomar los óleos, le dije las siguientes palabras que brotaron naturalmente de mi corazón: "Padre, cuando usted coloque el aceite sagrado a las personas que se encuentran en la asamblea, no lo haga para que ellas mueran sino para que sanen." Mis palabras le causaron mucha gracia, pero lo dejaron pensando.

Efectivamente, lo que le dije tenía sentido puesto que dicho sacramento se lo conoce también con el nombre de "Extremaunción". "En el transcurso de los siglos la Unción de los enfermos fue conferida, cada vez más exclusivamente, a los que estaban a punto de morir. A causa de esto, había recibido el nombre de 'Extremaunción'. A pesar de esta evolución, la liturgia nunca dejó de orar al Señor a fin de que el enfermo pudiera recobrar su salud si así convenía a su salvación."*

Asimismo, Jesús invita a los discípulos a participar de su ministerio de compasión y de sanación. "Y, yéndose de allí, predicaron que se conviertan; expulsaban a muchos demonios, y ungían con aceite a muchos enfermos y los curaban (San Marcos, 6:12-13). Continúa diciendo el Catecismo señalado precedentemente: "El Señor resucitado renueva este envío ('En mi nombre....impondrán las manos sobre los enfermos y se pondrán bien', San Marcos, 16:17-18) y lo confirma con los signos que la Iglesia realiza invocando su nombre. Estos signos manifiestan de una manera especial que Jesús es verdaderamente 'Dios que salva'."**

Más tarde, cuenta Josu Iriondo que, cuando ungía la frente y las manos de cada uno de los enfermos que se encontraban en la asamblea, oraba recordando las palabras que, momentos antes, yo le había dicho en la Sacristía.

Cuando llegó el turno de hacerlo por una señora y su hija infectadas ambas con el virus del sida, lo hizo con una fe inmensa intercediendo por sus respectivas sanaciones. Lo curioso del caso es que, antes de que comenzara el servicio, ambas se habían entrevistado con él quien trató de ayudarlas a que se resignaran a su enfermedad. Pero, al tenerlas frente a él, oró para que recobraran su salud.

Esa noche fue muy poderosa. Todos recibimos la gloria de Dios, incluyendo esas dos hermanas -madre e hija- quienes al poco tiempo regresaron con sus pruebas médicas que corroboraban sus respectivas sanaciones.

¡Gloria a Dios!

---

* Catecismo de la Iglesia Católica, página 431.
** Catecismo de la Iglesia Católica, página 430.

Amadísimo hermano:

El que cree en Dios siempre tendrá una esperanza.
Si ya en ti no hay esperanza es porque no crees en Él.
No permitas que las circunstancias de la vida, y las
imposibilidades de los hombres ahoguen tus esperanzas.
Donde termina el caminar del hombre es donde comienza
el caminar de Dios. Hoy, déjalo actuar en tu vida, en tus
circunstancias y necesidades. Ten confianza que así como
abrió el Mar Rojo en dos, abrirá caminos en tu vida en el
nombre de Jesús.

Amén.

Todo acontece para el bien de quienes lo aman

A veces no entendemos los planes de Dios como así tampoco comprendemos el porqué de ciertas cosas que acontecen en nuestras vidas. Tal fue el caso de Josué cuando muere Moisés. Quizás Josué, cuando muere Moisés, no podía entender el porqué de su muerte, pero a este último se le había prohibido entrar a la Tierra Prometida. Si Moisés no hubiera muerto, jamás nadie habría entrado a dicho lugar. Moisés necesariamente tenía que morir. Y así sucedió. A partir de ese momento, le tocó a Josué llevar al pueblo a la Tierra Prometida. En ocasiones, el Señor nos empuja, nos incita a salir de donde estamos para que lleguemos al lugar donde Él quiere que nos ubiquemos.

Mi padre, Nelson Velez, es un hombre que siempre ha llevado una vida sana, sin inclinación a ninguna clase de vicios. Sin embargo, de un día para el otro, contrajo enfisema pulmonar, según le diagnosticaron los médicos. Una mañana, ante una inesperada crisis a raíz de dicha enfermedad, mi hermano y yo nos vimos obligados a llevarlo a la sala de emergencias del hospital Montefiore. Recuerdo perfectamente la gran cantidad de pacientes que aguardaban para ser atendidos en ese lugar. Mientras tanto, las enfermeras los iban ubicando a lo largo de diferentes pasillos utilizando cada rincón o espacio libre del hospital.

En el Señor no hay mal que por bien no venga.

Nelson Velez fue puesto en una esquina a la espera de que llegara el turno de ver al médico. Yo caminaba por el salón de emergencia de una punta a la otra. De pronto, oí

75

una voz que me llamaba una y otra vez. Al voltearme, advertí que se tratada de un hermano que conocí en la Gran Asamblea de Nueva York. Enseguida, me preguntó qué es lo que estaba haciendo en dicho lugar, respondiéndole simplemente que mi padre se indispuso. Inmediatamente, le formulé la misma pregunta: "Y tú, hermano, ¿qué haces por aquí?"

Él me respondió que estaba acompañando a su novia que también pasaba por una crisis. "Padece de cáncer disperso por su cuerpo y tiene tumores en su vientre", agregó angustiado. "Le han realizado dos exámenes completos desde qué llegamos a la sala de emergencias, que lamentablemente confirmaron que tiene cáncer con metástasis por todo el cuerpo", dijo textualmente.

Después de describirme el grave estado de su novia, me pidió si podía orar previamente a que le realizaran el tercer estudio. Al llegar donde ella se encontraba, es decir, a punto de entrar al cuarto en el que iban a realizarle el último examen, el hermano me la presentó y nos pusimos a conversar. Fue en ese momento, que le hablé de Jesús y le conté mi testimonio, haciendo énfasis en que para el Señor no hay mal que por bien no venga. Le dije al hermano que se dé cuenta que no podía tratarse de una coincidencia o casualidad el hecho de que mi padre estuviera en el otro extremo del mismo hospital donde se encontraba su novia. Que el Señor nos había reunido para glorificarse en su pareja. Le hablé unas cuantas palabras de fe y oré al Señor para que la sanara. Terminada la oración ella daba gracias conmigo. Con su rostro bañado en lágrimas siguió alabando a Dios convencida de la sanación que ella creía recibir. Continuó en oración hasta que se la llevaron a hacer el tercer estudio.

Mi padre fue dado de alta al día siguiente. No volví a ver a dicha pareja por un tiempo. Pero, al mes de haber ocurrido todo ello, apareció esa hermana en la Asamblea de Nueva York. Llegó un día domingo, junto a su novio, para dar el testimonio que el Señor la sanó de su enfermedad. Así nos contó que el resultado del tercer examen practicado aquel día en el hospital, después de terminada la oración, constató que el cáncer había desaparecido junto a los tumores.

¡Gloria a Dios!

Amadísimo hermano:

Nos cuestionamos muchas veces el porqué de ciertas cosas, es decir, la razón de que determinadas circunstancias lleguen a nuestra vida. Pero, la Palabra de Dios, en Romanos, 8:28 nos dice: "También sabemos que Dios dispone todas las cosas para bien de los que lo aman, a quienes él ha escogido y llamado." Hermano, Dios sabe lo que hace pues Él es Dios. Solamente entrégale tu vida y confía en Él. Ten la plena seguridad que todo lo que Él hace es para tu bien, aunque tú no lo veas o lo sientas así. Padre, ayúdame a entender tus planes. Dame la fuerza para poder soportar y descifrar tu bendición, tu divino propósito. Te lo pedimos en el nombre poderoso de Jesús nuestro Señor.

Amén.

El sociólogo

Nuestras misiones en Colombia han sido siempre de gran bendición. Miles de personas llegan a nuestros encuentros llenando los coliseos más conocidos de ese país, que están situados en distintos puntos de su territorio. En una oportunidad, me encontraba en una misión en Bogotá donde iba a predicar -junto con los Misioneros de Jesús- en el coliseo cerrado El Campín, el más grande y conocido de aquella ciudad. Teníamos planeado quedarnos allí dos días.

Eso atrajo la atención de los medios de comunicación, especialmente de un periódico de gran circulación en Colombia, que envió a un reportero con el propósito de que escribiera una nota sobre lo que se vive y ocurre en nuestros encuentros. Antes del evento, se transmitieron noticias sobre múltiples sanaciones y curaciones. Enviaron a un sociólogo para que cubriera la nota. La sociología es una ciencia que trata de la estructura y funcionamiento de las sociedades humanas.* El periodista debía relatar en forma objetiva lo que acontece en nuestras multitudinarias asambleas, pero lo cierto es que él tenía una idea negativa sobre las reuniones. Además, no creía en nada de lo que se decía sobre ellas.

> Comparaba la asamblea con un concierto de rock, definiéndola como una histeria masiva donde las personas se emocionan y se desmayan.

Incluso aquel sociólogo, ateo e incrédulo, empezó a escribir sobre las masas que llegaban a dicho lugar y sobre cómo aguardaban en fila por horas para entrar al coliseo, aún bajo condiciones climáticas adversas. También escribió acerca de la cantidad de gente que fue retirada de los

---

* Diccionario de la Real Academia Española, vigésima segunda edición, 2001

hospitales por sus familiares o amigos para ser llevados allí con la esperanza de ser sanados. Comparaba la asamblea con un concierto de rock, definiéndola como una histeria masiva donde las personas se emocionan y se desmayan. En otras palabras, catalogaba al encuentro como una reunión llena de fanatismo. Así eran las cosas que él escribía, sin nunca haber participado de ninguno de nuestros eventos.

El día de la asamblea, dentro del coliseo, el sociólogo observaba y tomaba notas sobre todo lo que acontecía. Por ejemplo, al lado de él colocaron a un hombre postrado en una camilla con tanques de oxígeno, una persona que tenía muy mal aspecto. Él continuaba escribiendo sobre el peligro que encerraba el hecho de que distintas personas con necesidad de estar hospitalizadas estuvieran entre la multitud. Criticaba además, que en dichas condiciones carecían del cuidado adecuado que su estado de salud requería.

Cuenta el reportero que, cuando comenzó el encuentro, percibió algo en el ambiente que le hizo sentir escalofríos. Escuchó atentamente el mensaje de fe que estaba predicando, para luego explicarnos cómo aquellas palabras empezaron a tocar lentamente lo más profundo de su ser. Manifestó más tarde que, durante el momento de la oración, tuvo la sensación de que alguien lo arropó durante su transcurso. Sin embargo, él se mantenía firme en lo que creía, es decir, en su no creencia.

No salía de su asombro al ver distintas personas a su alrededor quedar sanas: paralíticos que se levantaban de sus sillas de ruedas, ciegos que recuperaban su vista, sordos que podían oír, gente que en llantos entregaba su vida a Dios. Pero, cuando miró a su izquierda, observó que el hombre que minutos antes estaba postrado en la camilla se encontraba de pie, sin los tanques de oxígeno y dando gracias a Dios por la sanación que había recibido.

Dice el sociólogo que fue al evento con el propósito de destruir la misión. Es decir, que saliera en la primera página del diario del día siguiente una noticia negativa sobre el encuentro. Mas Dios lo tocó poderosamente permitiendo que fuera a dicha asamblea no para escribir un artículo sobre lo acontecido, sino para que él tuviera un encuentro personal con Dios. El sociólogo entregó su alma al Señor y la nota publicada en el diario fue sobre la conversión del reportero que no creía.

¡Gloria a Dios!

Amadísimo hermano:

El ladrón viene a robar, matar y destruir. Esa es la misión del diablo contra nosotros, los creyentes. Es decir, trata de robar la gloria de Dios. Siempre nos llevará a situaciones que nos harán alejar la mirada de la gloria de Dios. Pero, es ahí donde debemos actuar con toda firmeza; pues, dice la Palabra que resistas a Satanás y él huirá de ti. Dios Todopoderoso, para resistir a Satanás sé nuestro escudo protector de todo dardo encendido que el enemigo quiere enviar sobre nosotros. En el nombre de Jesús.

Amén.

Si Dios está contigo, ¿quién contra ti?

Recuerdo, como si hubiera sido hoy, las palabras que una fría mañana de invierno me dijo mi obispo, Josu Iriondo: "Neil, si sé algo es que Dios está contigo, porque he visto como te ha sacado de muchas."

¿Saben una cosa? Las palabras del obispo no eran exageradas. En verdad, Dios me ha sacado de numerosas situaciones difíciles a lo largo de mi vida.

Encontrándome en una de nuestras reuniones de los días domingo en la Gran Asamblea de Nueva York, traigo ahora a mi memoria el día que llegó allí un hombre a quien no había visto anteriormente, bien vestido y elegante. Dado que nuestros encuentros convocan a una gran cantidad de gente cada semana, muchas de las cuales van por primera vez, hasta ese momento no noté nada extraño en aquella persona. Pero este hombre no dejaba de mirarme y advertí cuando le preguntó a quien tenía al lado: "Quién era el hermano Neil."

El hombre escuchaba enojado, diciendo que todo eso era un lavado de cerebros. Estaba decidido a hacer algo.

A lo largo de los veinte años que tiene el ministerio, hemos visto muchas conversiones en dichas asambleas de los días jueves y domingo. Personas que llegan allí de una manera y salen de otra forma. La novia de ese hombre fue un ejemplo de dicha transformación, la que ocurrió a partir del encuentro personal que tuvo con Dios. Su vida, desde ese momento, cambió totalmente. Por ejemplo, se esforzaba para no ofender al Señor. Ella vivía con su compañero en unión libre, pero ya no quería vivir de esa manera.

Todos los días ambos discutían sobre ese tema. La mujer oraba, hablaba de Dios, mencionaba mi nombre con frecuencia y hacía referencia a las cosas que ocurrían en la Gran Asamblea de Nueva York. Él, en una discusión, trató de obligar a su compañera a tener relaciones como ocurría anteriormente. Ella, en su profundo cambio, se oponía firmemente para poder comulgar. La mujer ya no era la misma. Cansado de su nueva actitud, aquel hombre, un día le dijo: "Hoy voy a matar a ese Neil Velez."

Fue la tarde que llegó a la asamblea con su revólver decidido a encontrar a quien había cambiado la vida de su compañera. Lo que él desconocía era que la vida de esa mujer fue cambiada no por mí, sino por Jesucristo, quien a partir de aquel momento comenzó a ocupar un lugar central en su vida.

En la asamblea, el hombre se limitó a sentarse y a observarme detenidamente. Yo, por mi parte, desconocía lo que estaba pasando, pero lo que sí sabía y aún hoy tengo la plena certeza es que Dios siempre está conmigo. "...Si Dios está con nosotros, ¿quién estará contra nosotros?", dice la Biblia en Romanos, 8:31.

Estaba predicando sobre el amor de Dios, haciendo referencia al poder del Señor para cambiar vidas. El hombre escuchaba enojado, diciendo que todo eso era un lavado de cerebros. Estaba decidido a hacer algo. Pero Dios suavemente empezó a tocar su corazón, ya que aquellas palabras estaban penetrando en él hasta el punto de conmoverlo.

En el momento de la oración, el hombre se puso de pie lleno de lágrimas. Pasó al frente, como suelen hacer algunas personas ante mi llamado. El Señor me reveló que había alguien en la Gran Asamblea con una pistola para usar contra mí, por no entender el cambio de vida que había tenido su compañera de años. Me dijo que Dios estaba tocando a esa persona.

Manifesté que él estaba convencido que había ido a nuestra reunión para matarme; mas la razón de que él estuviera allí fue que Dios quiso cambiar su vida del mismo modo que lo hizo con su pareja. Pedí que tal persona se identificara. Ya cerca de la tarima, con su rostro bañado en lágrimas, me dijo: "Soy yo, hermano Neil", mientras me entregaba su revólver. Pero mucho más importante fue que, junto con el arma, entregó su vida a Cristo.

Aquella pareja recibió el Sacramento Matrimonial al poco tiempo. Hoy día ambos sirven a Dios.

¡Gloria a Dios!

Amadísimo hermano:

La Biblia nos habla que no puede haber un yugo desigual (2-Corintios, 6:14). Quizás, uno de tus mayores obstáculos como creyente sea precisamente la falta de apoyo de tu cónyuge, no permitiéndote que asistas a las reuniones, censurándote y recriminándote constantemente. No puedes orar como deseas en tu hogar. Preséntale a Dios tu situación. No te canses o irrites hablándole de Dios; háblale a Dios de tu compañero. Exprésale con toda confianza al Señor tu sentir, que Él se encargará de equilibrar tu yugo. En este momento, eleva una plegaria al Todopoderoso por tu pareja y pídele al Señor que bendiga tu hogar. Te lo pido en el nombre de Jesús.

Amén.

La habitación de cristal

Las misiones en El Salvador son impresionantes por la cantidad de personas que asisten a ellas. Es un pueblo que ha sufrido mucho, pero sobre ese dolor ha edificado su gran riqueza: la fe. Medio millón de personas concurren, por lo general, a nuestras misiones en dicho país. En una oportunidad, nos encontrábamos en Sonsonate y teníamos que ir a San Miguel; por lo cual estábamos dentro de un bus con ese destino y con un tiempo de viaje estimado en cinco horas.

Dentro del bus estaban escuchando Radio Luz. Por ello, claramente entendimos el anuncio en el cual se nos solicitaba -a los hermanos Misioneros de Jesús- que nos comunicáramos a la emisora en forma urgente o que fuéramos al hospital de San Salvador. No había dudas que se trataba de una emergencia. Al llamar, nos dan una mala noticia. Nos dicen que uno de los organizadores de la misión en ese país sufrió un accidente, mientras iba dentro de un vehículo. Estaba internado en el mencionado hospital, en estado reservado.

Con poco tiempo y sin dudas, dije a Dios: "Sé Padre que no necesito hacer una oración larga para que me escuches."

Nosotros teníamos que pasar por allí necesariamente para llegar a San Miguel y decidimos entrar para orar por el hermano. Cuando llegamos al hospital, advertimos que afuera del edificio estaba lleno de personas que, al escuchar por la radio el pedido que nos hicieron, se movilizaron hasta allí a la espera de una oración. Luego de bajarme del bus, les conté a quienes estaban reunidos que primero tenía que orar por alguien que se encontraba hospitalizado. Pero al terminar y, previo a nuestra partida, oraríamos juntos.

Entramos al hospital, subimos al piso de cuidados intensivos, y al pasar por el salón de espera advertimos que, también allí, muchos habían logrado subir con la esperanza de orar con nosotros. Les dije lo mismo que al primer grupo. Al entrar a terapia intensiva, observé que la persona accidentada se encontraba en coma dentro de una habitación de cristales. Lo ocurrido había sido de tal gravedad que estaba *brain dead,* es decir, con muerte cerebral.

Había un médico atendiendo al enfermo. Una persona, que estaba con nosotros, le hace saber quiénes éramos y si nos permitía orar al accidentado. Pero el médico reaccionó en forma furiosa y nos contestó que nadie iba a orar en ese lugar, invitándonos a retirarnos de ahí pronto. El hermano trató de explicarle que conocíamos a la persona internada, ya que también estaba trabajando en la misión e insistió en que nos permitiera orar. Sin nada de paciencia, el médico nos contestó que él era primo de esa persona y que "por estar en esas cosas de ustedes, está en cama muriéndose."

Mientras estaba diciendo esas palabras pasó el hombre de seguridad del hospital y el médico le hizo señas para que entrara; le pidió que nos sacara de allí. Aquel hombre cumplió la orden y nos obligó a retirarnos del lugar. Pasamos nuevamente por el salón de espera y, conforme le había dicho al grupo de gente que estaba allí reunida, nos pusimos a orar. Les pedí a todos ellos que cerraran sus ojos, se olvidaran de sus problemas, levantaran las manos y se pusieran a alabar a Dios.

Aquellos hermanos que estaban en el salón de espera levantaron las manos y empezaron a alabar a Dios de tal manera que, esas palabras, sonaban como truenos y corrían esos gritos de alabanza por todos los pasillos del hospital. Fue la potencia de esas oraciones lo que provocó la movilización del médico y del guardia al salón de espera, donde entraron gritando: "¡Cállense, están en un hospital!" "¡Se van todos de aquí inmediatamente!", mientras le ordenaba al guardia que nos sacara a todos de allí.

Esa persona, cumpliendo con la orden que le fue dada, trató de mover a los reunidos en la sala de espera. No sé que ocurrió en ese momento, pero ellos se habían transformado en seres inamovibles, en una especie de columnas. Además, no detenían su alabanza a Dios. Por mi parte, aproveché que tanto el médico como el guardia estaban distraídos con esa situación que se había desencadenado.

Fui por detrás de ambos y entré en la habitación del accidentado. Cerré la puerta, sosteniéndola con mis pies. Como pude extendí mi brazo para poder tocarlo y así orarle, pero apenas podía apoyar mi mano sobre él.

Con poco tiempo y sin dudas, dije a Dios: "Sé Padre que no necesito hacer una oración larga para que me escuches. Tengo la certeza que tú estás aquí inclinando tu oído ante esta petición y manifestándote en tu hijo accidentado." Mientras estoy hablando al Señor de esa manera el médico y el guardia, advirtiendo que no estaba con el resto, golpean el cristal y empujan la puerta haciendo presión contra mí. Mas no detengo mi oración.

Como los dos están haciendo fuerza, me doy cuenta que voy a perder la batalla y, en cualquier momento, van a lograr abrir la puerta. No obstante lo que estaba ocurriendo, no me distraje y continué diciéndole a Dios que tenía la plena certeza que Él me estaba escuchando. En ese momento, al mirar al paciente me doy cuenta que está completamente sudado, cosa que me llamó mucho la atención. En general, personas que se encuentran en estados similares, no tienen ninguna reacción de emoción; pero aquel hombre sí la estaba teniendo.

Al mismo tiempo, la máquina que marcaba su corazón estaba confirmando lo que mis ojos estaban viendo, ya que su corazón empezó a latir más rápido *tu, tu, tu, tu.* Al oír el típico sonido proveniente de la máquina, le doy las gracias a Dios porque creía que ya lo había sanado. Quité en ese momento mi mano del hombre, saqué mis pies de la puerta permitiendo el acceso a aquellos dos leones frenéticos.

Cada uno me tomó de un brazo y me echaron. Igualmente como pude, me volteé hacia todos los reunidos en la sala de espera y les dije a los gritos estas palabras: "Está bien, me echaron. ¡Pero papito Dios ya hizo la obra!"

Fui al salón de espera, terminamos la oración con todos los que estaban ahí esperando, que instantes antes semejaban a columnas. Luego, al bajar, observamos que todavía seguía allí reunida la asamblea a la espera de una oración. Al finalizar, partimos en el bus hacia San Miguel. A los quince minutos comenzaron a sonar todos los celulares de quienes estaban dentro del autobús diciendo que el hermano que estaba en coma se había levantado para la honra de Dios.

¡Gloria a Dios!

Amadísimo hermano:

¡Montaña muévete, muévete ya! Preséntale a Dios tu problema, tu circunstancia y tu necesidad. Si tú estás convencido que Dios está aquí en este momento, también tienes que creer que Él te escucha y que su voluntad es mover la montaña de tu vida. Empieza a ver como esa montaña se mueve de tu vida. Jesús dijo: "todo lo que pidan en la oración, crean que ya lo han recibido y lo obtendrán." Puede encontrarse esta cita Bíblica en San Marcos, 11: 24.
Padre, te pido en el nombre de Jesús, que honres mi fe. Ayúdame a mantenerme firme en lo que estoy creyendo para así poder contemplar tu gloria.

Amén.

Completa calma

Me encontraba, junto a los Misioneros de Jesús, de misión en el Perú. Nos trajeron a una señora que sufría del mal de Parkinson, a consecuencia del cual se encontraba postrada en una silla de ruedas. Esta enfermedad se trata de un trastorno cerebral caracterizado por temblor y dificultad en la marcha, el movimiento y la coordinación. Se la asocia con el daño a una parte del cerebro que está comprometida con el movimiento. *

Esta mujer, quien fue llevada a uno de nuestros encuentros por su hijo, padecía la enfermedad severa, en una etapa avanzada. A raíz de ello, su cuerpo lucía totalmente encorvado; además, prácticamente no hablaba ni veía. En síntesis, la vida de esa señora estaba reducida a la silla de ruedas. Pero, a pesar de las circunstancias tan adversas que rodeaban a su madre, el hijo había llegado con fe y confianza de que su Dios podía levantarla de aquella situación.

A pesar de las circunstancias tan adversas que rodeaban a su madre, el hijo había llegado con fe y confianza de que su Dios podía levantarla.

Recuerdo que me encontraba predicando en aquel coliseo y, cuando pasaba por al lado de esa señora -quien no cesaba de temblar a causa de la enfermedad- no podía dejar de percibir que lo que estaba ocurriendo allí no era de Dios. Inmediatamente, sólo vino a mi memoria aquel pasaje de la Biblia que describe a los discípulos en la barca, en medio de una tormenta que los azotaba y cómo se llenaron de miedo a pesar de que Jesús estaba con ellos en aquel lugar. Era tan grande su temor que no dudaron en despertarlo. Jesús se levantó y mandó a

---

* Medline Plus Enciclopedia Médica

callar esa tormenta. Luego de que Él dio esa orden, dice la Palabra de Dios, que una gran calma inundó el lugar y que una paz inmensa descendió sobre ellos.

Así pues, se puede leer en San Mateo, 8:25-26 las siguientes palabras: "¡Señor, sálvanos, que estamos perdidos!" Pero Él les dijo: "¡Qué poca fe tienen! Entonces se levantó, dio una orden al viento y al mar, y todo volvió a la más completa calma."

Al observar a esa mujer desplomada sobre la silla de ruedas, en el nombre de Jesús mandé a callar la enfermedad que tenía: el mal de Parkinson. En el momento de la oración el Señor descendió sobre ella. Ya al final de la misión, cuando algunas personas querían compartir con todos los presentes en aquel lugar su testimonio pasando al escenario, esa misma señora caminaba hacia adelante totalmente erguida, sin temblar, por sus propios medios y al lado de su hijo. Ya no necesitaba el auxilio de la silla de ruedas. Nos acercamos al hijo, quien nos manifestó: "No voy a ser yo quien dé un testimonio, sino mi madre."

Aquella señora que no podía ver ni hablar y prácticamente no podía hacer nada por la enfermedad que tenía, en aquel momento dio su testimonio a todos los allí presentes del milagro de sanación que el Señor había hecho aquel día.

¡Gloria a Dios!

Amadísimo hermano:

Pídele a Dios paz en tu tormenta, pues es el único que te la puede dar.
La vida es como un gran océano y nosotros vamos en una barca. Tratamos de navegar sobre sus aguas y, de repente, nos vemos enfrentados a fuertes tormentas que hacen difícil que continuemos. Pero, tú no estás solo. Jesús va contigo en esa barca, así como estaba en la barca con los discípulos. Cuando ellos se sintieron atrapados y temerosos en medio de la tormenta, no dudaron en despertarlo. Él se levantó, detuvo la tempestad y en ese instante reinó una gran paz. Si estás atravesando una tormenta en tu vida, sólo levanta a Jesús y Él la detendrá. Padre, derrama tu paz sobre tus hijos que hoy te bendicen. Te lo pido en el nombre de Jesús.

Amén.

La niña ciega

Una mañana en Long Island, Nueva York, organizamos un retiro en el cual participó una mujer quien llegó acompañada de su hija, ciega de nacimiento. Contra la voluntad de su padre, quien no era creyente, la madre quiso llevar a la niña al encuentro. Él, además, se oponía a que su esposa participara de dicha actividad. Pero, su resistencia era aún mayor a la hora de permitir que la hija de ambos asistiera a un sitio que él consideraba una pérdida de tiempo.

Constantemente el padre decía a quien estuviera cerca de él: "Así nació nuestra hija y así se quedará." Pero, ya en el lugar donde se iba a llevar a cabo el retiro, el hombre le dijo a su esposa: "Te quedas tú y yo me llevo a la niña."

"Así nació nuestra hija y así se quedará."

Ella, con lágrimas en sus ojos, le suplicó que se fuera, pero dejando a la pequeña a su cuidado. Finalmente, él accedió a la petición de su compañera, retirándose solo del lugar. La mujer, muy religiosa, inmediatamente se postró de rodillas ante el Señor y, llorando, le pidió que hiciera algo para que el alma de su esposo no se perdiera.

El poder de Dios se sentía fuertemente en aquel encuentro. En el momento de la oración el Señor me dijo que alguien se estaba sanando de la vista y así lo transmití a los presentes. La niña, quien estaba orando con su madre, le tocó las manos diciéndole textualmente: "¡Que linda eres!" Al escuchar la señora aquellas palabras, rápidamente abrió sus ojos que estaban cerrados mientras alababa al Señor. Descubrió, con inmensa alegría, que su hija no vidente veía perfectamente. Comenzó a dar gracias a Dios con gritos de alegría, abrazando a su pequeña y besándola.

Su esposo, quien no había participado del retiro ni de la oración, regresó a buscar a su familia. Al contemplar a su esposa y a su hija con tanto gozo y emoción, quiso saber preocupado qué había ocurrido en su ausencia. Ambas se voltearon a mirarlo y la niña, conociendo la respuesta interiormente, le preguntó igualmente a su mamá si ese señor era su padre.

Al notar aquel hombre que su hija había recobrado la vista, las envolvió a ambas con un cálido saludo, con mezcla de gozo y arrepentimiento por su anterior comportamiento. Luego, corrió hasta donde me encontraba y me dijo: "Hermano, ore por mí que mi alma se pierde." De rodillas, le pidió perdón a Dios y entregó su vida a Él a partir de ese día memorable.

¡Gloria a Dios!

> *Amadísimo hermano:*
>
> *Hoy te digo a ti que no te rindas, aunque a tu alrededor escuches palabras negativas que fortalecen las imposibilidades del hombre. Tú, ante todo, fortalécete en el Señor y en el poder de su gloria, como señala la Palabra en Efesios, 6:10. Mantén tu mirada firme en lo que esperas recibir.*
>
> *Amén.*

Dios bendice al dador alegre

Estando en maratón para nuestra emisora llamada Radio Jesús es el Señor, Nueva York, recibimos la llamada de una señora mexicana quien se radicó en este país (Estados Unidos de América) poco tiempo atrás, según nos contó en aquella oportunidad. Llegó, como ocurre con muchos inmigrantes, sin conocer a nadie, sin documentos, pero con la esperanza de encontrar mejores oportunidades. Sin embargo, ya en suelo americano, comenzó a sentir un cambio en sus condiciones de salud. Por ejemplo, sentía un constante cansancio que le impedía hacer frente a sus obligaciones diarias. Notó, además, una drástica pérdida de apetito con la consecuente disminución de peso, entre otros síntomas. Por ello, es que decidió hacerse un chequeo médico, el que no tardó en revelarle que padecía de cáncer, el que estaba extendido por todo su cuerpo.

Entonces, ella decidió iniciar un estricto plan de ahorros para su funeral. No quería ser una carga para nadie, menos aún, para sus familiares radicados en su tierra natal. Deseaba morir en "sana paz", como solía ella decir en esa época. Al poco tiempo, estando un día en su habitación, sintonizó nuestra emisora que se encontraba en maratón. Como bien saben muchos, durante el lapso que dura esa campaña, se recolectan fondos para que Radio Jesús es el Señor pueda funcionar. Al tratarse de una asociación sin fines de lucro, no cuenta con ningún tipo de ayuda externa para solventar los numerosos y cuantiosos gastos. Aunque sí tiene el apoyo y la bendición de Dios, quien se manifiesta a través de los generosos oyentes haciendo posible que su obra continúe.

Decíamos que dando es como se recibe, porque Dios bendice a sus hijos; especialmente, si ellos donan con alegría.

La mujer mexicana escuchaba atentamente nuestros comentarios sobre el dador alegre. Decíamos que dando es como se recibe, porque Dios bendice a sus hijos; especialmente, si ellos donan con alegría. Ella, inundada por la presencia del Señor manifestado a través de nuestras palabras, se motivó a realizar un increíble acto de fe: entregó todos los ahorros reunidos hasta el momento para su entierro, sin retener para sí ni un centavo, aún permaneciendo sola en Nueva York, sin familiares ni amistades.

Luego de efectuar esa donación, ella se llenó de paz y comenzó a sentir la maravillosa presencia de Dios en su vida. A la semana de haber realizado esa aportación, comenzó paulatinamente a recobrar no sólo su apetito sino sus fuerzas, manteniendo una profunda tranquilidad, la que colmaba sus días con una singular alegría. Al mismo tiempo, advirtió que "la bendición de Dios la estaba alcanzando donde quiera que ella fuera, manifestada hasta en los más insignificantes detalles", según testimonió tiempo después.

Al regresar a la cita médica, los doctores asombrados le hacen saber que su cáncer había desaparecido por completo.

¡Gloria a Dios!

Amadísimo hermano:

Dios le dijo a Abram, en Génesis, 12:2: "Te bendigo para que seas bendición." Una de las formas de alcanzar la gloria de Dios, es siendo primero bendición en la vida de otro. Porque dando es como se recibe. Si estás enfermo, visita a un enfermo. Si tienes necesidad, suple la necesidad de otro. Sé misericordioso para que recibas la misericordia de Dios.

Amén.

CAPÍTULO III
MI BIBLIA VIAJERA

Mi Biblia viajera

"La fe viene por el oír y el oír de la Palabra de Dios" (Romanos, 10:17).

Viajaba de misión hacia Ecuador. Como es mi costumbre, aprovecho esas largas horas de vuelo para estudiar la Palabra de Dios, preparándome así para los lugares que voy a predicar. Luego de unas horas de efectuar mi habitual repaso, y al encontrarse mis ojos cansados decidí tomar una siesta en el avión, depositando previamente mi Biblia en el bolsillo del asiento que me correspondía. La Biblia que estaba usando en ese momento tenía un significado especial para mí: un alto valor sentimental, pues había sido mi compañera en el caminar en fe, cuando estaba muriendo. Se encontraba

Recién de vuelta en mi casa, iba a entender el propósito de Dios con mi Biblia viajera.

no sólo subrayada sino también manuscrita de mi puño y letra, con distintas reflexiones y mensajes de fe volcados durante varios años. Era tan valiosa que hasta tenía gotas de sangre en sus páginas, las que me recordaban constantemente mi sanación. Esa Biblia fue testigo de las frecuentes hemorragias que sufrí cuando estuve tan enfermo; sin embargo, no me cansaba de predicar a un Dios vivo, que sana y que salva.

Sin darme cuenta, al llegar a Ecuador descendí del avión dejándola olvidada. Me encontraba en el aeropuerto de Guayaquil y debía llegar a Cuenca donde tenía el primer sitio de misión. Alrededor de las dos horas de viaje -el tiempo estimado del trayecto era de cinco horas- comencé a sentir que algo me faltaba. A medida que más avanzábamos más aumentaba mi angustia, aunque todavía no lograba descubrir qué era lo que no tenía conmigo y, a la vez, me hacía tanta falta.

De repente, noté la ausencia de mi Biblia y empecé a preguntar por ella. Todos buscamos dentro del vehículo sin ningún resultado, hasta que recordé que yo mismo la había dejado en el avión. Debido a la distancia que a esa altura habíamos recorrido, no era posible regresar. Como quería recuperarla, solicité a los hermanos que llamaran a la compañía aérea para hacer la respectiva averiguación. Fueron informados, lamentablemente, que dicho avión estaba en pleno vuelo hacia Miami y que, hasta el momento, nadie había entregado libro alguno.

Durante aquella misión que transcurrió durante el fin de semana, me encontraba triste por mi descuido. Tenía la sensación de que alguien muy especial me había abandonado. Sin embargo, nuestros planes no siempre coinciden con los de Dios. El Señor tenía su propósito con mi Biblia viajera. Durante ese lapso de tiempo, el mismo avión realizaría tres viajes: Miami-Ecuador, Ecuador-Miami y nuevamente desde esta última ciudad regresaría al aeropuerto de Guayaquil. No debemos olvidar que las compañías aéreas realizan una minuciosa revisión y limpieza del avión al finalizar cada uno de sus vuelos. Pero, en ese caso en particular, nadie advirtió que una Biblia había sido olvidada en el bolsillo de un asiento para llevarla al lugar de objetos perdidos.

Al terminar la misión, regresamos al aeropuerto de Guayaquil. Continuaba sin poder aceptar la pérdida de mi valiosa Biblia. Por última vez, pregunté a la empleada de la compañía aérea por ella. Para sorpresa de todos los misioneros, me respondió que ese mismo día la habían dejado allí y me la entregó. Recién de vuelta en mi casa, iba a entender el propósito de Dios con mi Biblia viajera. Sin embargo, el Señor tenía claramente su propia misión evangelizadora con ella. Tres personas se sentaron en el asiento que yo había ocupado en ese avión. Cada una de ellas, en sus respectivos vuelos, tomó la Biblia que tenía escrito en una de sus páginas mi nombre y dirección. A partir de ello, los tres tuvieron un encuentro personal con Dios sobre los cuales me entero, tiempo después, por carta enviada a mi domicilio.

Una de las viajantes, era una señora que luego me contó que se encontraba hastiada de su matrimonio. Por tal motivo, es que decidió regresar a su país, Ecuador, dispuesta a divorciarse de su esposo. Durante el vuelo, descubrió la Biblia y al abrirla se encontró con un mensaje escrito por mí titulado Nuevo vino, que hablaba sobre la boda de Caná (San Juan, 2:1). Mientras ella leía esa lectura sintió cómo el Señor sanaba su corazón herido. Al día siguiente, regresó a los Estados Unidos para reconciliarse con su marido.

El segundo testimonio lo relató un hombre común y corriente, pero de naturaleza pecadora que nunca había conocido a Dios. También él encontró mi Biblia y la leyó en un pasaje que eligió al azar. Mientras ello acontecía, sintió la presencia de Dios fuertemente en su corazón. Definitivamente, tuvo un encuentro con el Señor en el mencionado vuelo. Dicho encuentro, le provocó un llanto sanador durante las largas horas que duró el trayecto, como así también un posterior cambio radical de vida.

El tercer caso, lo experimentó una señora que viajaba al Ecuador y que, como en los otros dos episodios, se sentó en el asiento que yo ocupé. Ella regresaba a su país para morir allí, pues en su vientre le habían detectado cáncer en una etapa tan avanzada que no podía hacerse ya nada. Ella tomó la Biblia y comenzó a leerla. Prestó especial atención a las páginas que estaban marcadas con mis gotas de sangre donde aparecía, en forma manuscrita, mi testimonio con la frase: "Por sus llagas yo fui sanado." Ella se puso en oración y dijo lo siguiente: "Señor, si lo hiciste con el hermano cuyo nombre figura aquí, también lo harás conmigo." Proclamó su sanación una y otra vez, repitiendo constantemente estoy sana por las llagas de Jesús.

Mientras ella continuaba orando, sintió la presencia de Dios fuertemente. Un calor inusual quemaba su interior, especialmente en su vientre. Cuando llegó a su país, decidió ir a visitar a un médico y después de su examen él le dijo que no tenía ningún tipo de cáncer. Al regresar a Miami, fue a ver al médico que le había detectado tal enfermedad y le contó lo que su colega de Ecuador le había dicho. Decidieron someterla a un nuevo chequeo y para su sorpresa el cáncer diagnosticado había desaparecido.

Al tener mi nombre y dirección escrito en la primer página de mi Biblia, por correo recibo los testimonios que, para la honra de Dios, me entregaba mi Biblia viajera.

¡Gloria a Dios!

Amadísimo hermano:

Enamórate de la Palabra de Dios. En ella se encuentra su gloria. Es poderosa. La reputación de Dios está en ella, dice el profeta Isaías, 55:11. "No volverá a mí con las manos vacías sino después de haber hecho lo que yo quería, y haber llevado a cabo lo que le encargué."

"¡Hijo, pon atención a mis palabras, oye bien mis discursos! Tenlos presentes en el espíritu, guárdalos en lo más profundo de tu corazón. Porque son vida para el que las acoge, son un remedio para el cuerpo."
(Proverbios, 4:20-22)

Padre, ilumíname con tu Palabra, que sea lámpara a mis pies y que alumbre mis caminos. Te lo pido en el nombre de Jesús.

Amén.

Las llagas

Una vez que me encontraba en una misión en Monte Santo (Bayamón), Puerto Rico, antes de comenzar a predicar se me acercó un hombre que usaba una camiseta de manga larga. Me llamó la atención ese tipo de vestimenta, puesto que era un día muy húmedo con temperaturas de 90 grados Fahrenheit. El hombre vestía así para ocultar una enfermedad que tenía en su piel.

Al comenzar a dialogar conmigo me contó sobre su enfermedad y luego se subió las mangas de su vestimenta con el propósito de que viera la condición de su piel. Cuando contemplé sus brazos estaban llenos de llagas, tan profundas que se veía la carne y que además expedían un mal olor. Se asemejaban a la lepra.

Le sugerí que le ordenara a ese mal que tenía en su piel, en el nombre de Jesús, salir de su cuerpo y lo dejé solo para que lo pudiera cumplir.

Le dije al hermano: "Por sus llagas tú fuiste sanado. Jesús se hizo llagas para que fueras sanado." Entonces le expliqué el sentido de esas dos oraciones tan poderosas. Es decir, le manifesté que esa enfermedad no tenía derecho de estar en su vida. Que era un intruso, que su cuerpo le pertenecía a Cristo, quien ya lo había sanado. Le sugerí que le ordenara a ese mal que tenía en su piel, en el nombre de Jesús, salir de su cuerpo y lo dejé solo para que lo pudiera cumplir.

Comenzamos la vigilia, la que duró alrededor de unas tres horas. Mientras predicaba no podía dejar de notar lo que el hombre estuvo haciendo durante el lapso que duró mi mensaje. Se subía su camiseta, con su dedo se tocaba las llagas más grandes que tenía en sus brazos y les hablaba. La distancia existente entre ambos me impedía escuchar sus palabras, aunque él más tarde las contaría a todos los presentes.

Fue así que luego brindó su testimonio haciéndonos saber cómo le habló a sus llagas: "¿Escucharon lo que ese hermano dijo?", les decía una y otra vez. "El predicador afirmó que yo era propiedad de Cristo. Que estas llagas no tienen ningún derecho de estar en mi cuerpo porque, por ser hijo de Dios, fui comprado con precio de sangre. ¡Por sus llagas yo fui sanado!", agregó firmemente. Por eso, finalmente pronunció la siguiente orden: "¡Les ordeno que se vayan, en el nombre de Jesús!" Luego se subió las mangas de su camiseta, desabotonándola, y empezó a darle gracias a Dios por la sanación que él creía que había recibido en la vigilia.

Terminado el encuentro, yo me había olvidado del episodio con el hermano. Pero, mientras estábamos empacando para ya irnos lo observé caminando hacia donde nos encontrábamos, o sea, al otro lado de la capilla. Me detuvo para decirme que quería que viera sus brazos. Debo decirles que me negaba a pasar por esa experiencia nuevamente. No me dio tiempo a decirle nada, ya que rápidamente se subió las mangas de su camisa y me enseñó sus brazos. Para mi sorpresa, las llagas que yo mismo había visto, las que producían un olor nauseabundo habían desaparecido por completo.

¡Gloria a Dios!

Amadísimo hermano:

Lee junto a mí estas líneas. Gracias Señor por demostrarnos tu amor enviándonos a tu hijo Jesucristo, para que por medio de su sacrificio nosotros recibamos sanidad. Así como Abraham tomó aquel cordero y lo ofreció en lugar de su hijo Isaac, así mismo tú ofreciste tu hijo en nuestro lugar para que por sus llagas nosotros fuéramos sanados; Isaías, 53:5
Señor, realiza tu propósito hoy en nosotros. Sánanos.

Amén.

El parapléjico

A veces nosotros tratamos de imponer nuestra voluntad a Dios, no sabiendo que la voluntad de Él es perfecta. Además, siempre desea lo mejor para cada uno de nosotros. Frecuentemente, por falta de conocimiento, nos cuesta entender lo que el Señor quiere para nuestra vida.

Mientras me encontraba de misión en Panamá, una familia trajo a un hombre parapléjico al coliseo donde estaba predicando. Aquella persona quedó minusválida debido a un accidente que sufrió mientras manejaba un camión. Su familia había entrado en un debate acerca de si valía la pena o no llevarlo al encuentro de los Misioneros de Jesús. Algunos creían que sí era importante hacerlo, mientras que la mayoría no miraba con buenos ojos el sacrificio de tener que llevarlo. Éste último grupo, consideraba que no tenía sentido: no creían en la sanación ni de él ni de nadie.

Aquella persona quedó minusválida debido a un accidente que sufrió mientras manejaba un camión.

En el medio de la discusión que mantenían, el hombre parapléjico hizo el intento, como pudo, de comunicarse con ellos. Con mucho esfuerzo y enojado, logró explicar que dicha decisión le correspondía a él. Así fue que manifestó su deseo de asistir, aunque tuviera que hacerlo en su silla de ruedas y por sus propios medios. Aquel hombre tenía la certeza de que Dios lo iba a sanar. Todos, sin excepción, lo miraron como si estuviera loco. Pero, algunos de los presentes dijeron que se ocuparían de llevarlo.

Apenas entraron al coliseo fueron separados. El señor en silla de ruedas fue colocado en la parte de abajo de aquel sitio destinada exclusivamente a los enfermos. La familia se instaló en otro piso. El hombre, no obstante la dificultad para trasladarse por sus propios medios de un lugar a otro, quiso conocerme y me buscaba por toda la sala. Como todavía no era el turno de mi prédica, me encontraba en una habitación a la espera del momento de mi participación. Él no lo sabía.

Era un asiduo oyente de una emisora católica en la que transmitían mis mensajes. Fue creciendo en fe a partir de su escucha. Pero, aquel hombre, me seguía buscando insistentemente sin resultarle un impedimento su condición física.

Luego de mi presentación, comencé a predicar. La persona con parálisis, al escuchar mi nombre y apellido se acercó hasta la tarima lleno de emoción. Atentamente siguió el mensaje de fe y, con lágrimas, oraba conmigo. Al terminar, salí por la parte de atrás mientras él continuaba buscándome. Finalmente, llegó hasta donde me encontraba.

Como pudo, con su mano extendida, me tocó diciéndome solamente dos palabras: "Hermano Neil." Advertí que tenía fe como para ser sanado y oré por él. Mientras lo hacía, aquel individuo se puso de pie y salió caminando dándole gracias y alabanzas al Señor.

¡Gloria a Dios!

Amadísimo hermano:

A veces nos preguntamos porqué Dios permite que sucedan las cosas. Es el interrogante del millón. Es algo que sólo el Señor podrá responder cuando estemos delante de Él, cara a cara. Lo que sí sé es que Dios desea lo mejor para nosotros.

Señor, danos fuerza para poder soportar tus planes y tu voluntad aunque no los entendamos. Concédenos paz y serenidad para poder caminar de acuerdo a ella.

Todopoderoso, sáname de los prejuicios que pueda tener sobre todas las cosas que son desconocidas para mí.

Te lo pido en el nombre de Jesús.

Amén.

El señor del tumor

Me encontraba en una misión en Nicaragua. Le explicaba al pueblo como Jesús sufrió en carne propia las consecuencias de nuestros pecados para nosotros ser sanados. Contaba mi propio testimonio de cómo yo había sido sanado por las llagas de Jesús, y luego entramos en la oración por los enfermos.

Mientras estaba orando, oía los gritos de un hombre que provenían de la parte de atrás. No entendía muy bien lo que decía por la distancia que existía entre ambos, pero los gritos se fueron intensificando. El hombre empezó a caminar hacia la tarima y la gente se corría para dejarlo pasar. Ello me llamó la atención. Por lo general, las personas buscan los primeros asientos por creer que, mientras más cerca se encuentren del escenario, más próximos están de Dios. Es por tal razón, que mucha gente llega temprano, incluso antes de que empiece el evento para ubicarse en los mejores puestos. Dios

Él gritaba que estaba sano, pero su rostro decía otra cosa.

está presente en todos los lugares, independientemente del sitio en que te halles. De todos modos, a dicho hombre le resultaba fácil avanzar.

Y los gritos se hacían más fuertes. A medida que se iba acercando me resultó más claro entender lo que él decía: "¡Gracias Señor porque me has sanado!" Entendí porqué el pueblo le abría paso, mientras él seguía manifestando en voz potente que estaba sano. Cuando uno miraba su rostro, a simple vista había un tumor en el lado izquierdo que tenía el tamaño de una bola de básquet. Prácticamente le cubría la mitad de su cara, dejándole solamente un pequeño espacio libre en la zona del ojo por donde ese hombre podía ver. Él gritaba que estaba sano, pero su rostro decía otra cosa. Luego de mirarlo, y escuchar lo que decía, me encontraba totalmente conmovido. Me sentía identificado con él por haber pasado por una situación similar, varios años atrás, a raíz de mi enfermedad.

Aquel hermano, como me ocurrió a mí, creía que por sus llagas había sido sanado. En ese momento, sentí la presencia de Dios que envolvía todo mi ser. Movido por esa fuerza, me lancé de la tarima cayendo delante de él. Ambos nos miramos y él, con lágrimas en su rostro, me dijo: "¡Por sus llagas he sido sanado!" Sin pensarlo, les confieso que de no haber estado bajo la presencia de Dios no me hubiese atrevido a hacer lo que hice, levanté mi mano hacia su rostro y, por el espacio libre que tenía entre el tumor y su nariz, metí mi mano para agarrar dicha protuberancia. Con toda mi fuerza tiré para abajo, quedándome con la masa en mi mano.

Al mirar su rostro nuevamente, advertí que estaba completamente limpio, sin ningún tumor ni lesión. El hermano tenía cáncer disperso por todo el cuerpo (metástasis), pero cuando regresó al médico después de la misión, le dijo que la enfermedad terminal que tenía había desaparecido para la honra de Dios.

¡Gloria a Dios!

Amadísimo Hermano,

Tú no necesitas tener gran fe. Lo que necesitas es aprender a utilizar la poca fe que tú dices que tienes, ya que en ella se encuentra la gloria de Dios. La Palabra de Dios dice lo siguiente: "…si tuvieran fe, del tamaño de un granito de mostaza, le dirán a este cerro: Quítate de ahí y ponte más allá, y el cerro obedecerá. Para ustedes nada será imposible." (San Mateo, 17:20)
Por eso, lo único que debes hacer es aprender a usar la poca fe que tú dices que tienes. Señor, mueve las montañas de mi vida. ¡Honra mi poca fe!

Amén.

Los pentecostales

Tiempo atrás, fui invitado a Ambato, Ecuador, a predicar. El sacerdote que lo hizo anunció el evento sin mencionar creencia o religión, con el propósito de no limitar la asistencia de ninguna persona.

Me presentó en los afiches como un evangelista que venía de los Estados Unidos. Un evangelista es aquel que anuncia el evangelio, pero a veces este lenguaje es utilizado más por personas no católicas que por nosotros mismos. No tengo dudas que el sacerdote sabía muy bien lo que hacía al anunciar mi llegada de ese modo.

Al entrar en la oración, luego de la prédica, el poder de Dios empezó a sanar.

Religiones protestantes, entre los cuales se encontraban pentecostales, vieron y escucharon el anuncio. Por ello, tal vez confundidos por el término empleado en los afiches, el coliseo de Ambato estaba completamente lleno de personas pertenecientes a dicha creencia.

La mayoría de los asistentes, se encontraban sorprendidos ya que de ningún modo esperaban asistir a un encuentro católico, menos aún, con un predicador de esa religión quien hablaría sobre la Virgen María. Los protestantes tienen un concepto distinto a los católicos acerca de la Madre de Jesús, ya que la consideran una mujer común y corriente. Tampoco la veneran como ocurre en dicha religión.

Por el contrario, para nosotros, María es la segunda Eva. *

---

*Ver puntos 411 y 726 (páginas 138 y 240 respectivamente) del Catecismo de la Iglesia Católica – Nueva Edición con las últimas correcciones hechas por la Santa Sede de Roma.

Por su obediencia y su sí, entró la salvación al mundo.**

No sólo asistieron personas de distintos lugares de Ecuador sino también de Colombia. Un pastor pentecostal (evangélico) llegó al lugar con su congregación completa. Lo acompañaba un hermano de sangre que padecía de enfisema pulmonar.

En aquel lugar hablé sobre el tema La fe de María. Al entrar en la oración, luego de la prédica, el poder de Dios empezó a sanar. Todos los que tenían distintas clases de padecimientos, no sólo físicos sino también aquellos que estaban enfermos del alma, empezaron a sentir la presencia de Dios. El hermano del pastor, fue sanado de su dolencia pulmonar. Él no podía caminar sin perder su respiración, y en aquel lugar estaba corriendo y saltando de alegría mientras daba las gracias al Señor. Otras personas, con odio o resentimiento hacia María y la Iglesia Católica, también recibieron sanación.

En ese momento, sentí la necesidad de hacer un llamado a todo aquel que quisiera regresar a la Iglesia Católica. Eran tantas las personas que comenzaron a movilizarse, que invité a todos los sacerdotes allí presentes a que los recibieran, mientras se pedían perdón el uno con el otro.

El pastor emocionado vino donde mí y me dijo: "Hermano Neil, en esa María que tú predicaste es en quien yo creo." Se volteó a su congregación y le dijo: "Ustedes me llaman pastor, y si a mí me siguen, quiero que sepan que ésta es la Iglesia a la cual quiero pertenecer. ¡La Iglesia Católica Apostólica y Romana!"

¡Gloria a Dios!

** "Por eso la Iglesia entiende que María ocupa un lugar único en la obra de nuestra salvación... Al lado de Cristo, nuevo Adán (Rom 5:14 y 1Cor 15:45) María es la verdadera madre de los hombres, que se contrapone a Eva pecadora." Ver el comentario -pie de página- de San Lucas, 1:38 (La Biblia Latinoamericana, Edición revisada 2002, 43 Edición, Editorial Verbo Divino).

Amadísimo hermano:

Repite junto a mí estas palabras. Señor, ayúdame a decir sí como María. Ayúdame a encarnar la Palabra como ella, a ser obediente hasta el final siguiendo su ejemplo. Señor, haz que cada día ame más a mi Iglesia.

Amén.

El sacerdote ciego

"Yo soy la luz del mundo. El que me siga, no andará en tinieblas", San Juan, 8:12.

Estando en El Salvador, en una vigilia, llevaron a un sacerdote ciego. Me encontraba predicando y empecé a contar mi testimonio de cómo Dios me había sanado de mis distintas enfermedades, incluyendo la total recuperación de mi vista.

El párroco que estaba presenciando el encuentro, al escuchar sobre mi sanación se llenó de celos y envidia. Estaba tan molesto que quería abandonar el lugar. Su actitud fue percibida por quien lo había invitado, por lo cual esa persona le preguntó porqué es que él se sentía así. El sacerdote simplemente respondió: "Dios es injusto." Fue así que comenzó a explicar, que él era un siervo de Dios, quien había entregado su vida a Él abandonando todo para convertirse en un fiel servidor al Señor. Sin embargo, él estaba ciego. En cambio, quien está predicando, continuó el padre, "no es nadie comparándolo conmigo y, sin embargo, Dios hizo muchísimas cosas en él, hasta sanar su vista. Considero, sin lugar a dudas, que soy quien el Señor debió haber sanado."

"Señor, tú eres la luz del mundo. Ten misericordia de tu hijo." En aquel momento, el sacerdote ciego recobró su vista.

Su acompañante lo miró con tristeza y le dijo: "Padre, si usted quiere ser curado primero debe morir a ese yo. Sea más humilde. Su enfermedad no está en sus ojos, sino en su alma. Pídale a Dios que la sane." ¿Por qué no le pide al hermano Neil Velez que le ore?, y luego de formular esa pregunta se retiró.

El sacerdote se quedó pensando y meditando solo. Empezó a llorar, pidiéndole a Dios que lo perdonara y que le permitiera regresar a Él. Pidió que lo llevaran donde yo estaba y cuando llegó me abrazó fuertemente diciéndome: "Hermano Neil, le pido disculpas por haberlo ofendido. No tenía la menor idea de lo que hablaba, y pronuncié palabras equivocadas."

Sin comprender lo que ocurría, le pregunté al sacerdote porqué es que él me hablaba así. Él respondió de la siguiente forma: "Por nada, hijo. Tú eres un siervo de Dios. Te pido por favor que hagas una oración por este pobre pecador." Luego de pronunciar esas palabras comenzó a llorar fuertemente. Oré por él y dije: "Señor, tú eres la luz del mundo. Ten misericordia de tu hijo." En aquel momento, el sacerdote ciego recobró su vista y relató su testimonio a todos los presentes.

¡Gloria a Dios!

Amadísimo hermano:

En este momento, repite conmigo las siguientes palabras. Padre, tú eres la luz que brilla en las tinieblas. Tú eres el cordero que quita los pecados del mundo. Hoy te entrego mi alma, mi vida y mi ser. Quita las escamas de mis ojos para que siempre te pueda ver. Ilumina mis caminos para que mis pies no tropiecen. Te lo pido en el nombre de nuestro Señor Jesucristo. Amén.

Amén

República Dominicana

Estando en una misión en República Dominicana, en Santo Domingo, tuvimos una de nuestras reuniones en el club deportivo del barrio Lucerna a la que asistió mucha gente. Estaba diciendo que Dios podía ser encontrado en cualquier lugar, que teníamos que tener fe y confianza en Él, depositándole todas nuestras preocupaciones con la certeza de que cuidará de nosotros. Mientras predicaba advertí la presencia de una mujer que lloraba intensamente.

Cuando llegamos al momento de la oración, ella levantó sus manos y dio gracias a Dios por la sanación que estaba recibiendo. Me acerqué y le pregunté de qué la había liberado el Señor. Se quedó mirándome y me dijo: "Hermano Neil, esta sanación no fue dirigida a mí, sino a mi hija que quedó en casa. Ella hace tiempo que tiene un tumor en el oído izquierdo." El tumor que su hija tenía, según sus propias palabras, se palpaba detrás de la oreja, pero ella confiadamente insistió: "Creo firmemente que el Señor hoy estuvo en mi casa y la sanó completamente." Por eso, estoy dando gracias a Dios, por lo que yo creo Él ya hizo.

Se quedó mirándome y me dijo: "Hermano Neil, esta sanación no fue dirigida a mí, sino a mi hija que quedó en casa."

Al ver la fe de esa mujer, me puse de acuerdo con lo que estaba creyendo recibir. Juntos, le dimos gracias a Dios por la sanación que Él le estaba concediendo en ese instante a su hija. Terminamos el encuentro, dimos gracias al Señor y la señora salió corriendo del club deportivo emocionada y con una inmensa alegría. Vivía a dos cuadras del club deportivo y se dirigió hacia allí lo más rápido que pudo. Cuando llegó a su casa encontró a su hija tocándose la oreja y le preguntó que le ocurría. Le contestó que estaba sintiendo un calor intenso donde tenía el tumor y que, aproximadamente dos horas atrás, comenzó a molestarle más que nunca.

Su madre, tranquilamente le contestó que, dos horas antes, estuvo orando por su salud. Que lo hizo, continuó diciendo, en un encuentro donde el Señor le había revelado las siguientes palabras: "Tu hija está sana, porque me he ocupado de ella." Sin embargo, su hija continuó insistiendo que le molestaba mucho el oído izquierdo. Su madre, muy segura, le contestó en voz fuerte: "¡El Señor te ha sanado!"

Al terminar de pronunciar esas poderosas palabras el tumor que se palpaba detrás de la oreja se despegó y cayó al suelo. La niña quedó completamente sana. Así nos lo transmitieron madre e hija en el encuentro del día siguiente a todos los que estuvimos allí presentes, mostrando su oído completamente restituido.

¡Gloria a Dios!

Amadísimo hermano:

Para el Señor no hay distancias, no hay barreras, no hay tiempo y no hay circunstancias. Él es omnipresente y todopoderoso. Quizás tus deseos sean de enviar al Sanador a otro lugar. Toma un momento y piensa en esa persona. No importa cómo se encuentre; solamente cree que Dios se manifestará en el nombre de Jesús.

Amén.

Un momento de Dios

Me encontraba, en una oportunidad, de misión en el estadio más grande de Centro América llamado El Cuscatlán. Recuerdo que, curiosamente, la tarima había sido situada en el medio del estadio. Mientras me preparaba para predicar, inesperadamente, apareció un guardia de seguridad con dos señoras, una de las cuales cargaba un bebé.

A veces, en ese tipo de reuniones, la gente movida por fe hace cosas extrañas o extraordinarias. Llegaron todos donde me encontraba. El señor de seguridad me pidió disculpas por la interrupción. Sabía que no debía dejar pasar a nadie, menos aún cuando estaba por comenzar el encuentro. Mas les pregunté en qué podía servirles.

Al regresar al hotel, no podía contener mis lágrimas. Mis hermanas trataban de consolarme, ya que ellas sabían cómo me sentía.

En ese momento, la señora mayor comenzó a decir lo siguiente: "Hermano Neil Velez, ella es mi hija y la bebé es mi nieta. La pequeña tuvo una fiebre muy alta y hace alrededor de cuatro horas murió." Lo asombroso de la situación es que no habían llevado a la niña a la morgue o a una funeraria, sino que la llevaron directamente al estadio. Inmediatamente, me pasaron a la niña. A mi lado, se encontraban mis hermanas de sangre, Maryluz y Marisol, como así también gente de distintos canales de televisión del país, quienes iban a transmitir el evento.

La niña estaba rígida ya que llevaba varias horas sin vida. Miré en ese momento a Maryluz y le dije: *"She is dead"* (Ella está muerta). Mi hermana, conmocionada, me quitó la pequeña y abrazándola fuerte junto a su pecho comenzó a llorar. Al observar la situación, sentía muy dentro de mí que debía hacer algo. Era un momento de Dios para poder glorificarse. Fue así que decidí tomar la niña de los brazos de mi hermana para orar por ella. Inmediatamente, todos los medios de comunicación, al ver que se trataba de una niña muerta y que yo la tenía, llenos de expectativa se pusieron a filmar.

Cuando comienzo a percibir la atención de los diferentes medios hacia mi persona me llené de temor y dudas. Queriendo salir de esa situación lo antes posible, hablé unos instantes con las dos mujeres tratando de brindarles consuelo y les entregué el pequeño cuerpo sin vida para que hicieran lo correspondiente. Sinceramente, les confieso, que fue el encuentro más difícil de mi vida. Me resultaba casi imposible hablar de fe cuando, unos instantes antes, había dudado de Dios. Me sentía un hipócrita.

Al regresar al hotel, no podía contener mis lágrimas. Mis hermanas trataban de consolarme, ya que ellas sabían cómo me sentía. Terminamos la misión en El Salvador, y al día siguiente, salimos para Cali, Colombia. Durante el transcurso del viaje no pude dejar de pensar en lo sucedido. Llegando a esa ciudad, nos esperaba otro coliseo lleno de miles de personas.

En el momento de la oración, apareció mi hermana con otra niña en brazos junto a su madre, quien lloraba desconsoladamente. Su hija sufría de convulsiones provocadas por la enfermedad que tenía, epilepsia. Presentaba treinta convulsiones al día. Los médicos, habían dicho que ya no podían hacer nada por la niña y que de continuar esos ataques con tanta frecuencia, finalmente iba a quedar en estado vegetativo hasta morir.

Al llegar la madre al coliseo con su hija, nos dijo que había estado todo el día con convulsiones. Mi hermana me miró, como diciéndome que mirara el rostro de la niña. En efecto, la similitud de ella con la otra pequeña que había fallecido en El Cuscatlán me dejó helado. Sabíamos que se trataba de otra niña y de otra familia totalmente diferente; incluso, de dos países distintos. Sin embargo, sentí que Dios me ponía en otra situación difícil dándome una nueva oportunidad. De nuevo, alrededor de mí estaban los medios de comunicación pendientes de cada paso que tomaba. La niña fue sacudida violentamente por otra convulsión, quedando en estado vegetativo, pensando que había muerto. Mientras, dentro de mi ser, sentía la voz de Dios que me decía: "Y ahora, ¿qué vas a hacer?"

Tomé la pequeña entre mis brazos, la puse sobre mi pecho y me dirigí a un rincón del coliseo. Allí, le pedí perdón al Señor por haberle fallado y a la vez le hice una promesa: nunca volver a dudar de Él, de su poder y de su gloria. En ese momento, sintiendo las fuertes convulsiones de la niña, dije: "¡Les ordeno en el nombre de Jesús que se detengan y que ella sane de su enfermedad!" Luego de ello, sentí la calma, es decir, que los ataques provocados por la epilepsia se detuvieron. Cuando contemplé a la pequeña, me estaba mirando con una dulce sonrisa en su rostro. Al mismo tiempo, oí la voz tenue de Dios quien me hacía saber que hice su voluntad, que aquél había sido su momento. Entregué la niña a su madre, partiendo de Cali con paz y alegría en mi corazón.

Diez años después, encontrándome de misión en Bogotá (Colombia) se me acercó una señora a quien no reconocí por haber transcurrido un lapso prolongado de tiempo desde la última vez que nos vimos. Ella llegó acompañada de una adolescente a quien tampoco recordaba, que luego me enteré que años atrás había orado por sus convulsiones. Su madre me contó que, desde aquel día en que oré por su hija, jamás volvió a tener ningún ataque de epilepsia. Hoy, aquella niña, es una jovencita sobresaliente académicamente, con muchos sueños y metas en su vida.

¡Gloria a Dios!

Amadísimo hermano:

En este momento le pido a Dios que aumente la fe dentro de ti desterrando toda duda o vacilación para que así tu oración sea respondida. Jesús dijo: "Si tienen tanta fe como para no vacilar, ustedes harán mucho más que secar la higuera. Ustedes dirán a ese cerro: ¡Quítate de ahí y échate al mar!, y así sucederá. Todo lo que pidan en la oración, con tal de que crean, lo recibirán", San Mateo, 21:21-22. Padre, no permitas que me separe de ti, que las circunstancias de la vida me hagan flaquear. Dame las fuerzas para siempre estar a tu lado. Te lo pido en el nombre de Jesús.

Amén.

La mujer y su hija con distrofia muscular

La fe es atrevida y no descansa hasta no alcanzar la gloria de Dios.

Me encontraba en una misión en Colombia, en la ciudad de Villavicencio. Teníamos un encuentro al aire libre en una concha acústica, con miles de personas que habían asistido a dicho lugar.

Mi mensaje de aquel día era acerca de la fe. Decía que fe "es la certeza de que vas a recibir lo que estás esperando."* Entramos en el momento de la oración y, en palabra de conocimiento, Dios me hizo saber que en ese lugar había alguien que se estaba sanando de distrofia muscular.

La fe es atrevida y no descansa hasta no alcanzar la gloria de Dios.

De la parte de arriba y bien atrás empezamos a escuchar la voz de una hermana que gritaba: "¡Gracias Señor, muchas gracias!" Con tanta gente allí reunida, no se veía quién era la persona que pronunciaba esas palabras. Ella comenzó a bajar hasta llegar donde estábamos nosotros, mientras seguía repitiendo similares palabras. "¡Gracias Dios porque sanaste a mi hija!" No era ella quien tenía distrofia muscular en etapa avanzada, sino su pequeña.

La niña parecía un vegetal. Estaba toda torcida y usaba unos aparatos en sus piernas *(braces)*. El término distrofia muscular hace referencia a un grupo de enfermedades hereditarias caracterizadas por una debilidad progresiva y un deterioro de los músculos esqueléticos o voluntarios, que controlan el movimiento.** No obstante el impedimento de

---

* Hebreos 11:1

** La definición fue tomada de la Asociación para la distrofia muscular (Internet).

la niña, su madre bajó con ella, mientras seguía dando gracias a Dios. Todo el mundo la miraba como "la gran loca" y hasta se burlaban de ella por lo que decía. Pues, por vista, el pueblo observaba lo contrario. Sin embargo, en el encuentro, ella se llenó de fe y reclamó aquel llamado para su hija.

La señora se acercó todo lo que pudo a la tarima donde me encontraba. La separaba el espacio destinado a la orquesta que se hallaba en un desnivel, como ocurre en algunos teatros. Mientras me acercaba a ella, observé que tenía lágrimas en sus ojos y que seguía repitiendo, con voz potente: "¡Gracias Señor porque la sanaste!".

Luego hace algo, que aún hoy me resulta una de las cosas más increíbles que presencié en mi vida. Desde donde se encontraba parada, lanzó su hija hacia mí. De no haber estado parado justo allí, la niña hubiera caído en aquel espacio reservado a los músicos. Como pude, no sé aún hoy ni cómo, logré alcanzar una de sus piernas y así evitar que se golpeara.

Miraba a la señora y no lograba salir de mi asombro por lo que ella había hecho. Debo confesar que, además, me sentía muy molesto con ella. La niña lloraba inconsolablemente por toda la situación. Además, no me conocía, lo que agravaba aún más las cosas.

Pero comencé a sentir movimientos en las piernas de la niña. Ella quería ir donde estaba su madre y agitaba sus extremidades. En ese momento, entendí que la actitud de la señora había sido un acto de fe. Entonces, le dije que subiera al escenario por el otro lado. Mientras obedecía lo que le pedí, le sugerí que detuviera su marcha y que llamara a su hija. Llorando y llena de miedo, pronunció el nombre de la pequeña. Ella, al no querer estar conmigo, salió corriendo hacia su madre en tanto que los ganchos de sus piernas iban cayendo uno por uno. La niña quedó completamente sana de su enfermedad.

¡Gloria a Dios!

Amadísimo hermano:

Sólo el Señor sabe cuántas lágrimas han brotado de tus ojos. Todo lo que viviste y sufriste a consecuencia de tantas circunstancias. Pero hoy, quiero decirte que Dios no ignora las vicisitudes de tu vida. No estás solo. Él está a tu lado y cambiará tu lamento en baile y levantará testimonio donde no lo hay. Porque en el Señor vivimos, nos movemos y existimos.
Señor Jesús, te pido en este momento que con tu poder sanador abraces a este hermano o hermana que está leyendo estas páginas. Te pido que suplas sus necesidades y te glorifiques de una manera especial, en el nombre de Jesús.

Amén.

"God is no respecter of men" ("Dios no respeta hombres")

La Palabra nos dice que Dios no respeta hombres, que no hace diferencia entre el uno y el otro, que todos somos iguales para Él. Así, en una de las traducciones de la Biblia, en Hechos, 10:34-35 se lee lo siguiente: "Verdaderamente reconozco que Dios no hace diferencia entre las personas" *("God is no respecter of persons",* en su versión en inglés). O, en Romanos, 2:11 dice: "Dios no hace distinción de personas."

Estando en una misión en el estado de Virginia, predicaba que Dios deseaba lo mejor para nosotros. Él es pura misericordia y se deleita en ella. Entre la multitud, se encontraba un hombre paralítico -de la cintura para abajo- a causa de un accidente sufrido en su trabajo.

"Si es así como tú dices que Dios actúa, pues que me levante en este momento de esta silla de ruedas."

Escuchaba lo que decía atentamente. Mas se encontraba molesto por sentir que él no estaba viviendo la misericordia de Dios. Aquel hombre estaba convencido que no era cierto lo que predicaba, ya que no era para todos y menos aún era para él. Contaba mi testimonio de cómo Dios me había sanado de mi enfermedad y decía que, si lo había hecho conmigo, lo podía hacer con cualquiera por ser todos hijos de Dios.

Este hombre no podía comprender la profundidad del mensaje por el enojo que tenía a raíz de la secuela que le dejó el accidente. A veces, las difíciles circunstancias por las que atravesamos en distintos momentos de la vida nos impiden, como le ocurría a dicha persona, percibir la bendición de Dios.

Por ello, en el medio de mi prédica y delante de todos los presentes, decidió retar lo que me encontraba explicando. Al acercarse hasta donde estaba, tocó varias veces mi pantalón, desviando mi atención hacia él y la de todos los allí presentes. Luego, con voz fuerte y desafiante, dijo las siguientes palabras que recuerdo con exactitud: "Si es así como tú dices que Dios actúa, pues que me levante ahora de esta silla de ruedas."

Se hizo un gran silencio. Todos estaban pendientes de lo ocurrido y a la espera de mi respuesta. Sabía que eso era una estrategia del diablo para destruir la fe de todos los presentes y así aniquilar la misión que se estaba realizando. Recordé aquel pasaje del evangelio de San Marcos, 2:1-12 cuando algunos hombres llevaron a una persona postrada en una camilla al sitio donde Jesús estaba predicando. La casa estaba llena de gente y, al no poder entrar por esa razón, subieron al techo, le hicieron un agujero y bajaron al paralítico delante de Jesús.

Me imagino que Él también estaría dando su mensaje. ¿Cuál sería el tema? Lo ignoramos. Pienso que hablaría sobre el Reino de Dios, sobre la unción del Espíritu Santo sobre Él y acerca de su misión de salvar y sanar. Pero, mientras estaba predicando, fue interrumpido y lo pusieron en una situación en la que debía actuar. Recordando ello, cerré mis ojos, le di mi espalda al hombre y pronuncié al Señor estas palabras: "Jesús, no permitas que tu siervo sea hoy humillado por el diablo. Glorifícate en el hermano." En ese instante, Dios me arropó y me volteé hacia él. Mirándome, nuevamente insistió con iguales palabras: "Si es así como usted dice, que me levante ahora."

Sentí la presencia de Dios y bajo la influencia del Espíritu Santo lo tomé de sus manos y tirando fuertemente le ordené: "¡Levántate en el nombre de Jesús y camina!" Aquel hombre comenzó a dar un paso tras otro. Luego, entre sorprendido y emocionado, daba gracias al Señor, mientras dejaba a un lado la silla de ruedas.

¡Gloria a Dios!

Amadísimo hermano:

A veces, las enfermedades verdaderas no son las físicas, sino las espirituales. Son éstas las raíces que alimentan toda condición en el exterior. Si lees el evangelio, Jesús antes de sanar a alguien físicamente procuraba sanarlo primero espiritualmente, perdonando sus pecados (San Mateo, 9:1-7). Yo no sé como tú te sientes íntimamente en este instante. Examina tu interior junto conmigo. Quizás descubras un odio, rencor, una herida o tal vez necesites confesar un pecado. Hermano, perdonar es sanar. Pídele a Dios ahora que te sane de lo que tú realmente necesitas. Padre, sana mi interior, sana mi alma, sana mi espíritu, sana todo odio o rencor que pueda tener. Que únicamente reine tu amor en mi interior. En el nombre de Jesús hago esta petición.

Amén.

CAPÍTULO IV
YO MARCHO PARA EL SEÑOR

Yo marcho para el Señor

Tengo un amigo que se llama Nelson Martínez. Él es taxista. Le encanta conocer distintas personas y traerlas a nuestro ministerio para que yo también tenga la oportunidad de conversar con ellas. Una vez, estando en el Centro Carismático, escuché la bocina de un vehículo que sonaba con mucha insistencia. Cuando miré por la ventana vi que se trataba del automóvil de Nelson, quien me hacía señas para que me acercara. Ya conocía sus intenciones, salí afuera del edificio y llegué donde él.

En aquella ocasión, había montado a tres pasajeros muy especiales. Eran pentecostales. Se trataba de tres personas muy simpáticas e inmediatamente nos sentimos muy cómodos. Nelson, mientras conversábamos dentro de su vehículo, había puesto un disco compacto que contenía una alabanza que decía con voz animada Yo marcho para el Señor. La música era muy contagiosa y no pasó mucho tiempo hasta que todos tarareamos la canción.

Por mi parte, conozco a un Dios que habita en mi Iglesia y que es capaz de sanarte en este momento.

Al rato, los tres descendieron del vehículo para hacer la dinámica de la alabanza. El primero de ellos, daba un salto cantando Yo marcho para el Señor. El segundo, también lo acompañaba. Por su lado, el tercero, al tener una enfermedad incurable en sus huesos los seguía ayudado de sus muletas. Se encontraba imposibilitado de caminar de otro modo, pues le faltaban pulgadas en un pie como consecuencia del mal que padecía. Los médicos le habían dicho que terminaría postrado y que, algún día no muy lejano, la enfermedad que tenía acabaría con su vida. Pero, a pesar de sus impedimentos y dificultades en el andar, entonaba la canción Yo marcho para el Señor. Por mi parte, sintiendo admiración por la actitud de éste último, me uní al grupo con sus movimientos mientras también entonaba aquella marcha.

Cuando la persona con muletas vio lo que estaba haciendo, se detuvo y me dijo con mucho respeto: "Usted no puede marchar." Le pregunté porqué pensaba que no podía hacerlo. Él me respondió: "Porque usted es católico y no puede marchar." Insistí: "¿Por qué no lo puedo hacer yo, si lo haces tú que tienes dificultades?" Enseguida él me contestó algo que no tenía demasiado sentido: "Porque ustedes creen en imágenes, en el Papa, en María, en los Santos", y así continuó con su enumeración.

Le conté lo siguiente. En tiempos navideños, en los Estados Unidos, existe una costumbre de ir a los bosques en familia, encontrar un pino y, a veces, de un pino se sacan dos árboles para decorar. Continué diciéndole, tú y yo vamos al bosque, encontramos un árbol, lo cortamos. Tú tomas tu parte y yo la mía. Es el mismo pino: llevas el tuyo a tu casa y yo llevo el mío a mi hogar. Se trata de un único árbol. Tú lo adornas a tu manera, yo lo adorno a la mía, pero sigue siendo el mismo pino. Lo importante es que cuando tú enchufes tu árbol navideño pueda alumbrar toda tu casa.

Él sabía que le hablaba con palabras dichas con doble sentido. Que el pino era Jesucristo. Que teníamos el mismo Señor y que todos éramos sus hijos por igual. Él, entonces, respondió: "Bonito el cuento, pero en Dios no existen los adornos." Les confieso que, en aquel momento, lo rubio se me subió a la cabeza. Pronuncié unas frases muy fuertes, con la creencia de que venían de Dios. Le dije las palabras que me dictaba mi corazón: "Hermano, tú dices que Dios no habita en la Iglesia Católica. Sin embargo, dices que está presente en la tuya. Entonces, ¿por qué es que tu Dios te mantiene a ti de esa manera y no te ha sanado?"

"Por mi parte, conozco a un Dios que habita en mi Iglesia y que es capaz de sanarte en este momento", le dije con firmeza. Él se llenó de miedo, asombrado por mis palabras.

Estaba sintiendo la presencia de Dios. Antes que pudiera decir otra palabra corrí hacia él y le impuse mis manos diciendo con voz fuerte: "¡En el nombre de Jesús!" El hermano cayó en el suelo, en descanso espiritual. Los demás también sintieron la presencia de Dios de tal modo que cantaban y hablaban en lenguas.

De repente, escuchamos a alguien llorando. Era el tercer hermano que hacía el intento de levantarse sin la ayuda de las muletas. Logró poner sus pies firmemente sobre la tierra. Su pierna le había crecido y sus huesos lo sostenían. Salió corriendo, saltando y gritando: "¡Gracias Señor, gracias Señor, muchas gracias porque me has sanado!"

Corrí detrás de él hasta alcanzarlo y le pregunté qué había pasado. Él me respondió bañado en lágrimas: "¡Dios me ha sanado!" Efectivamente, su enfermedad incurable había desaparecido. Pero, agregué: "¡Tanto tu Dios como el mío te ha sanado!"

Actualmente, esta persona llamada Esteban Burgos, anda predicando y testificando cómo Dios habita en la Iglesia Católica.

¡Gloria a Dios!

Amadísimo hermano:

El evangelio de San Mateo, 14:16 cita las palabras de Jesús que dicen que no es necesario que se fueran, e invita a los discípulos a suplir sus necesidades sin importar la clase de limitación existente. Esta es la Iglesia de Cristo, la Iglesia del Espíritu Santo, la Iglesia con el poder para atar y desatar. Por lo tanto, no hay ninguna necesidad de buscar solución a nuestros problemas en otros sitios, ya sea recurriendo a diferentes credos, supersticiones o vicios. Lo que debemos hacer es tener fe en nuestra Iglesia, saber que Dios habita en ella y que Él lo hará. Padre, ayúdame a descubrir las riquezas que tenemos en nuestra Iglesia. Llévanos al convencimiento pleno de tu presencia en el altar. Te lo pido en el nombre de Jesús.

Amén.

Fernando y las máquinas

"Busca el reino de Dios y su justicia, que lo demás vendrá por añadidura", San Mateo, 6:33 y San Lucas, 12:31.

Fernando fue un hombre que lo tenía todo: familia, dinero y trabajo en forma lujosa. Pero un día también perdió todo por vivir una vida desenfrenada. Drogas, alcohol y mujeres eran sólo algunos de los vicios más comunes a los que él recurría con frecuencia. Se sentía cada vez más vacío.

"Gracias por la oportunidad que usted me dio de trabajar aquí. Pero ni por usted ni por nadie dejo de hablar de Dios."

Dios tuvo misericordia de Fernando, quien finalmente entregó su vida a Él. A partir de ese momento, el Señor lo transformó completamente. En agradecimiento, este siervo, quiere compartir su testimonio con los lectores para que otras personas puedan conocer al Dios compasivo y bondadoso que todo lo puede.

El Señor lo bendijo con un nuevo trabajo. Todos los días se levantaba a las cuatro de la mañana para poder llegar a tiempo, ya que la empresa donde laboraba quedaba bastante retirada de su domicilio.

Diariamente, Fernando cumplía con su rutina. Salía de su casa y a cada persona que cruzaba en su camino, lo saludaba diciéndole: "Dios te bendiga." Además, cuando hablaba con alguien le obsequiaba un rosario y conversaba acerca de Dios. En el tren o bus predicaba a un Dios que sana y que salva. Día tras día, hacía exactamente lo mismo hasta llegar a su trabajo. Incluso, allí dentro, saludaba a sus compañeros con su típico "Dios te bendiga", invitando a todos ellos, en la hora de receso, a orar con él. Su actitud, despertó celos entre algunos de los empleados los cuales se quejaron ante el dueño de la empresa, quien profesaba la religión judía.

Dicha persona no tardó en llamarle la atención a Fernando. Le dijo que en su empresa estaba prohibido que se hablara de Dios como así tampoco estaba permitido orar, ni aún en las horas de pausa o recreo. Aquel día, Fernando llegó a nuestra asamblea un poco triste, comentándome lo sucedido. Pero, en seguida le contesté: "¿A quién tú sirves verdaderamente? Ten fe y confianza en Dios, pues Él no te abandonará." Hicimos una oración, presentando al Señor esta situación. Le pedí que lo protegiera de todo mal, abriéndole caminos donde no los había. Cuando terminamos de orar le dije a Fernando: "Cueste lo que cueste no abandones a Dios."

Al día siguiente, Fernando partió de su casa, sin cambiar en nada su hábito. Dios te bendiga, decía a todo aquel que se cruzaba en su camino. Entró a su trabajo, diciéndoles las mismas palabras que siempre decía a sus compañeros. En la hora que se les daba para almorzar volvió a convocar a todos ellos para que oraran juntos. Las personas que anteriormente lo habían acusado, al ver que Fernando seguía actuando como era su costumbre, con su Dios y sus oraciones, fueron nuevamente a ver al dueño de la empresa a quien le presentaron otra vez sus quejas.

Ese hombre, enojado con Fernando por su desobediencia, lo llamó a su oficina y le dijo: "Fernando, ¿no te prohibí acaso que hablaras de tu Dios y que dejaras de orar aquí?" A lo que agregó: "Te voy a dar una oportunidad más. Si dejas de repetir tu conducta puedes conservar tu empleo." El empleado, sin pensarlo dos veces, le contestó al dueño de la empresa: "Gracias por la oportunidad que usted me dio de trabajar aquí. Pero ni por usted ni por nadie dejo de hablar de Dios." Se marchó de allí con alegría. Al salir de la oficina iba saludando a todos con su frase de siempre: "Que Dios te bendiga."

La mano de Dios no se hizo esperar. En el momento que Fernando salió del edificio todas las máquinas de la factoría dejaron de funcionar. En aquellos días, el dueño de la fábrica había firmado un contrato millonario y no podía contar con el funcionamiento de ninguna máquina para poder cumplirlo. Se encontraba desesperado. El único empleado con conocimientos como para repararlas era Fernando. El dueño, a los gritos, preguntó por él: "¿Dónde está Fernando?", repetía una y otra vez. Un trabajador le recordó al empresario que lo acababa de despedir. ¡No!, gritó el hombre mientras salía corriendo en busca de Fernando, quien a esa altura ya había caminado varias cuadras. De repente, el ex empleado escuchó los gritos del presidente de la empresa quien corría detrás de él.

¡Fernando!, le dijo. ¡Necesito que vuelvas, pues tú eres el único que puede arreglar las máquinas! Le contó detalladamente lo ocurrido con ellas, es decir, que todas dejaron de funcionar ni bien él se fue. Le propuso, para que volviera a su puesto, diversas cosas entre las que se encontraba el aumento de su sueldo, mientras le suplicaba que regresara. Pero Fernando, serenamente, le contestó: "No quiero que me aumente el sueldo. Lo que sí deseo es tener la libertad de poder hablar y orar a mi Dios cuando yo quiera."

El dueño, emocionado le contestó: "Está bien, lo que quieras." Regresaron juntos a la fábrica y cuando Fernando puso sus pies en la puerta de entrada todas las máquinas empezaron a funcionar al mismo tiempo. Fernando continuó con su grupo de oración que hasta el día de hoy cuenta con todos sus compañeros de trabajo, incluyendo al dueño profesante de la religión judía.

¡Gloria a Dios!

Amadísimo hermano:

Estoy convencido que hoy es el día que el Señor desea levantar un testimonio en ti. Empieza a dar gracias a Dios por lo que hace en tu vida. Para Él nada es imposible. Siente que te arropa con todo su poder y con todo su amor y te restaurará. Tú vales demasiado a los ojos de Dios. Él envió a su hijo para sanar nuestras dolencias y enfermedades. Continúa dándole gracias a Dios, porque eres reflejo de su gloria.

Amén.

Los planes de Dios no son los nuestros

Los padres del niño Frank Reyes se encontraban desesperados debido a que su hijo se estaba muriendo de leucemia (cáncer en la sangre). A pesar de haber probado distintas clases de tratamientos sobre el pequeño, los resultados no fueron alentadores. Los médicos les dijeron que el niño necesitaba en forma urgente un transplante de médula ósea. Pero, un nuevo contratiempo aparecía. Ninguno de los posibles donantes era compatible con el pequeño.

Sin embargo, los padres no se rindieron. Acudieron al pueblo buscando alguien que fuera compatible. Hicieron afiches con la foto del niño, pasaron anuncios en los periódicos y en la televisión. También asistieron a todo tipo de reuniones masivas, desde iglesias a clubes con el propósito de distribuir esa información. Finalmente, alguien les mencionó la Gran Asamblea de Nueva York a donde fueron, por primera vez, con igual fin.

Era una *"Diosidencia"*, es decir, una cita divina.

Ellos querían distribuir los volantes del niño entre la gran cantidad de gente que, todos los domingos, participa de nuestras reuniones con el fin de localizar el donante compatible con Frank Reyes. Cuando entraron a la asamblea, fueron a hablar conmigo para obtener el permiso y así poder efectuar los diferentes anuncios relacionados con el hijo de ambos. Pero, a veces, nuestros planes no son los de Dios. Ellos desconocían el lugar santo donde habían llegado, como tampoco conocían los planes que el Señor tenía con ellos en dicho sitio. Era lo que yo llamo una *"Diosidencia"*, es decir, una cita divina.

El matrimonio había entrado a la casa de Dios: un lugar sagrado, puesto que Él se había manifestado con poder allí, sobre miles de personas, en repetidas ocasiones. Personalmente, hice el anuncio para todo aquél que quisiera hacer las pruebas de compatibilidad con el niño. Pero, al estar en un sitio donde se predica la misericordia de Dios y donde se proclama su poder, aproveché la oportunidad para que todos juntos oráramos por la salud de Frank Reyes. El niño había sido llevado por sus padres al encuentro, pese a su condición débil, la que empeoraba día a día y le quitaba el deseo de vivir.

Impuse mis manos sobre él, pedí a todos los presentes que también extendieran las suyas hacia el niño y en fe lo declaramos sano, como acostumbramos a hacer con los miles de enfermos que se hacen presentes en aquel lugar. Al terminar la asamblea, los padres se llevaron al jovencito rápidamente a su casa debido al cansancio provocado por sus bajas defensas. Por el camino, el niño que prácticamente había perdido el apetito a causa de la enfermedad, le pidió a su padre que fuera a un *Burger King* a comprarle algo de comer. Tal actitud les pareció extraña. Al día siguiente, Frank se levantó con mucho ánimo, con hambre y con ganas de jugar. Así pasó toda la semana.

Al regresar al médico, para la sorpresa y alegría de todos, la leucemia había desaparecido. Hoy, Frank Reyes, está jugando béisbol en las pequeñas ligas y vive una vida normal como cualquier otro joven.

¡Gloria a Dios!

Amadísimo hermano:

En este momento lee junto a mí la siguiente oración.
Gracias Señor porque siempre estás pendiente de cada
uno de tus hijos. Porque tus planes no son los nuestros,
sino superiores, como dice la Palabra en Isaías, 55:8-9.
Porque tus ojos siempre están puestos en nosotros.
No lo sé todo y, a veces, los pasos que doy son torpes.
Sin embargo, todo está bien porque tú estás a mi lado
para cuidarme y guiarme en el camino de la vida.
Señor Jesús nunca te apartes de mi lado.

Amén.

Las únicas limitaciones de Dios

Una noche, en la que me encontraba con los Misioneros de Jesús en la casa de una familia en Virginia, me pidieron que orara por dos niños gemelos.

La madre, con mucha fe, me los entregó diciéndome que uno tenía una hernia abdominal. Los médicos le habían dicho que el lunes próximo le practicarían una cirugía para corregir su situación. Todo ello ocurrió un día viernes, es decir, dos días antes de la intervención quirúrgica.

Pese a las circunstancias difíciles por las que atravesaba la mujer, su fe era firme. Cuando estaba orando por ellos sentí que el Señor sanaba al niño enfermo de su hernia y con mucha seguridad se lo comuniqué a todos los presentes. Sin embargo, le sugerí a la madre que fuera a la cita con el médico y que le dijera que primero lo examine. Correspondía al cirujano, confirmar la sanación del niño. También, muy seguro, agregué que no lo operen hasta que no se repitan los exámenes, ¡porque está sano en el nombre de Jesús! Terminamos la oración y dimos gracias a Dios por todo lo que creíamos recibir.

Cuando estaba orando por ellos sentí que el Señor sanaba al niño enfermo de su hernia.

Durante el transcurso del fin de semana teníamos un congreso en Virginia. Allí fue donde se me acercó la madre de los niños con lágrimas en los ojos y me dijo: "Hermano Neil, usted no sabe lo que ha pasado desde que oró por el niño enfermo. Inmediatamente que llegó mi esposo del trabajo, le comuniqué la alegría que sentía y lo que mi fe me decía respecto del estado de salud de nuestro hijo." Pero él, totalmente incrédulo, me contestó: "Mujer, tú estás loca. El niño el lunes va donde el médico para la cirugía."

Por mi parte, insistí en que el pequeño ya no tenía nada. Igualmente, le dije que si su marido persistía en llevarlo el próximo lunes para que lo operen, que no se preocupara ya que ello era para la gloria de Dios y para la conversión de su esposo. Oramos en el congreso los días sábado y domingo por ese caso, agradeciendo al Señor por su obra. El lunes, por la mañana, llevaron al hijo de ambos al cirujano donde le hicieron el procedimiento, conforme habían convenido anteriormente.

Terminada la operación, llegó el médico y dijo que no se explicaba lo que había sucedido, pero que exploró y exploró sin encontrar nada. Que iba a investigar para determinar lo ocurrido. El hombre miró a su esposa arrepentido y, entre sollozos, le pidió perdón a Dios por haber dudado y a su hijo por lo vivido innecesariamente.

El hermano es hoy un servidor de Cristo en su comunidad.

¡Gloria a Dios!

Amadísimo hermano:

Elevemos juntos al Señor la siguiente oración.
Perdona mi humanidad, lo frágil y débil que soy ante las circunstancias de la vida. Ayúdame a creer más en ti. Aumenta mi fe para no dudar de lo que estoy creyendo.

Amén.

El "tremendo *revolvón*"

Una mañana desayunando con mis compañeros misioneros, mientras leía un periódico que se publica en los Estados Unidos, me llamó la atención un artículo que describía las ciudades con más alto índice de delitos, tales como homicidios, robos, tráfico o consumo de drogas, entre otros. Daban un listado que enumeraba a las diez localidades más peligrosas del mundo.

Para mi sorpresa, uno de esos sitios era muy conocido por todos nosotros. En el listado figuraba El Bronx, Nueva York, e indicaba especialmente la Calle Saint Anns, la que se encuentra muy cerca de donde se lleva a cabo la Gran Asamblea. Por tal motivo, les dije que quería dirigirme allí para observar la razón por la que tal periódico la mencionaba como un sitio tan riesgoso.

Le dije: "Mátame, que me estás haciendo un favor."

Fue un día lunes, alrededor de las dos de la tarde, cuando fuimos a aquel lugar. Al llegar, nos encontramos con mucha gente por todas partes. Parecía un mercado cuando hay un especial muy conveniente y todos acuden para adquirirlo. Distintas personas se nos acercaban y nos decían: "Pide que hay."

No lograba dejar de preguntarme a qué hacía referencia la gente. No sabía ni entendía qué era lo que estaba pasando. Luego, llegó un hombre con una bolsa de papel que metía sus manos en ella, sacaba muestras de algo y las lanzaba al aire para que todos tomaran aquellos envoltorios gratuitos.

Al poco tiempo, nos enteramos que lo que tiraban eran pequeños frascos plásticos conteniendo crack o cocaína. Se trataba del sitio donde aquel diario mencionaba como *Home of Crack* (Hogar del crack). Era increíble observar la cantidad de gente con una desesperación difícil de describir: hombres y mujeres, jóvenes y adultos, blancos y negros. Todos con ansias por recibir su pequeño obsequio.

Fue así que al mirar a mi alrededor descubrí una pequeña plaza abandonada, y sentí el deseo de llevar una misión a ese lugar. Se lo propuse a la comunidad. Su respuesta negativa no se hizo esperar. Las razones que me daban, para no hacerlo, estaban bien justificadas. Decían que era peligroso. Incluso, uno de nuestros compañeros que era policía, también sugería que no era conveniente, ya que ni siquiera las fuerzas de seguridad se atrevían a ingresar a dicha zona.

Mas mi deseo de estar predicando allí era más fuerte que todos esos obstáculos. Empezamos a montar la tarima y la necesidad de electricidad fue suministrada por el encargado de un edificio vecino, quien nos advirtió que "no se hacía responsable de lo que pudiera pasar, ya que otras personas habían intentado, en diferentes oportunidades, evangelizar en esa tierra de nadie. Pero, tuvieron que salir corriendo con sus Biblias, porque la gente les lanzaba piedras y botellas para que se fueran."

Pese a las advertencias de todo tipo, y una vez que los miembros de mi comunidad se convencieron de llevar a cabo el encuentro, no nos atemorizamos. Por el contrario, continuamos firmes con nuestro plan. Al llegar la hora de la misión, mientras estábamos cantando como así también alabando al Señor, la gente se empezó a acercar a la plazoleta y permanecía allí escuchando. De repente, llegó un hombre que se quedó en la parte de atrás al cruzar la calle, recostado sobre la pared de un edificio, y nos miraba seriamente. Tan penetrante era su mirada que si con ella nos hubiera podido matar, ¡hace rato que habríamos perdido la vida!

El hombre, de a poco, se fue acercando a la tarima mientras yo estaba en la prédica y con mi atención centrada en ella. De pronto, él dijo: "Oye", mientras me hacía señas para que me acercara al sitio donde él estaba. Al llegar allí, me dijo: "Yo te voy a matar". Lo ignoré y fui al otro lado de la tarima, a donde él también me siguió y me volvió a repetir aquellas palabras, preguntándome si lo había oído bien. Vuelvo a fingir no haber escuchado nada y me voy al otro lado de la tarima. Él me siguió y esta vez sacó de su abrigo un revólver Mágnum 357. Quienes conocen de armas saben que se trata del arma de mano más poderosa que existe. Tengo un hermano de comunidad, de origen dominicano, quien me dijo cuando le conté lo sucedido: "Eso no es un revólver, sino un tremendo revolvón", utilizando un término bien exagerado, como suelen referir ellos con simpatía.

Este señor me repitió: "No estoy jugando contigo, te dije que te voy a matar." Uno puede ser muy valiente, pero cuando estás mirando el tambor de una pistola Mágnum 357, como ocurrió en mi caso, hasta las piernas me temblaban y apenas me sostenían. Cerré mis ojos y empecé a orar. Estaba predicando sobre Josué (capítulo primero), haciendo referencia a la siguiente cita Bíblica: "Estaré contigo así como estuve con Moisés, no te olvidaré ni te abandonaré jamás." Esas palabras resonaban en mi interior, y sentía que Dios me decía que Él estaba conmigo y me llenó de fuerza espiritual. Abrí mis ojos, y con ese vigor que sentía le dije con voz firme: "¡Mátame, que me estás haciendo un favor!"

El hombre reaccionó enojado, me pegó con la pistola y la colocó en mi frente diciéndome: "Yo te voy a matar." Su indignación se basaba en que era el dueño del punto de distribución de drogas y que su clientela debía pasar por donde estaba predicando. Pero, cuando por allí cruzaban, comenzaban a entregar sus vidas a Cristo. En consecuencia, estaba perdiendo compradores. Sabía que tenía que hacer algo. Probablemente, dicho puesto lo había obtenido por el respeto logrado por su fuerza y autoridad. Seguramente, otra gente lo estaría observando y si detectaban inseguridad en él le quitarían el cargo que desempeñaba. ¡La amenaza era muy real!

Volví y le grité: "¡Mátame que me haces un favor!" Él me contestó: "Yo te voy a matar, pero antes que lo haga quiero que me digas cuál es el favor que te hago al quitarte la vida."

"El favor que me haces es que cuanto antes me mates, más rápido me voy con Dios." Con un tono fuerte le insistí: "¡Mátame que me voy con Cristo!"

El hombre no podía creer las palabras que habían salido de mi boca, moviendo su cabeza de lado a lado, sin poder dar crédito a dicha frase. Al bajar su cabeza observé una lágrima rodando por su rostro y me dijo: "Yo creía que era el más valiente del barrio, pero ahora veo que hay uno más guapo." A ese Cristo quien tú predicas le ruego que me perdone. A ti, te pido que me hagas una oración. Él tomó su "tremendo revolvón", lo arrojó fuertemente a la tarima mientras confirmaba su entrega a Cristo junto a las demás personas reunidas.

Actualmente, si tú visitas la Calle Saint Anns, no vas a encontrar ese punto de venta de drogas y ahora todos están en libertad de predicar a Cristo Jesús.

¡Gloria a Dios!

Amadísimo hermano:

Abre tu corazón y lee junto a mí estas palabras. Señor, sé que me guías por sendas de justicia, por amor a tu nombre. Aunque atraviese valles tenebrosos, no temo peligro alguno porque tú estás a mi lado. Tu vara de pastor me reconforta. Cuando estés pasando por pruebas y tribulaciones, recuerda que el Señor está contigo. Solamente clama su presencia y verás la gloria de Él.

Amén.

El hombre que no quería ver

Eliseo dijo: "Señor, haz que este ciego vea. Y las escamas que tenía en sus ojos se cayeron." Véase 2 Reyes, 6:17.

Estaba en Puerto Rico y llevaron a un hombre que por la enfermedad que padecía, glaucoma, había quedado ciego. Sus ojos ya estaban de color gris azulados, a causa de la mencionada enfermedad.

"No hay nada peor que un ciego que no quiere ver."

Sus familiares lo habían llevado con la esperanza de que Dios pudiera obrar en su vida. Él, sin embargo, no creía en Dios. Además, consideraba que era una pérdida de tiempo estar en nuestra reunión, complicando la vida de los hermanos que con tanta fe decidieron trasladarlo hasta aquel lugar.

Sus seres queridos le habían hablado de mi sanación y de las maravillas que Dios hacía en nuestras reuniones. Sin embargo, él seguía insistiendo que todo eso era una mentira. El problema de ese hombre era mayor que la enfermedad física que adolecía. Era, por sobretodo, un ciego espiritual. Carecía de fe, por lo cual no podía ver la gloria de Dios.

Comenzamos la noche de oración. El hombre, interrumpiendo nuestras plegarias, gritó fuertemente: "¡Todo lo que dicen aquí es falso!" Inmediatamente, le respondí con la pregunta acerca de cuál era su problema. Él insistió en que lo que se decía en las asambleas era mentira, ya que Dios no existía. De lo contrario, sostenía, Él me hubiera sanado hace tiempo.

Entonces fue que le respondí con la conocida frase: "No hay nada peor que un ciego que no quiere ver." Aquel hombre cuestionó mi afirmación. Le dije que sus escamas no estaban en sus ojos, sino en su alma. Que hasta que no entregara su vida a Cristo Jesús, jamás vería la gloria de Dios. "¡No existe, Dios no existe!", continuaba diciendo el hombre, pero ya en un tono violento.

Fue cuando el Señor me dio una palabra de conocimiento. Me dijo que Él quería sanar su corazón herido del abandono de sus padres, haciéndome saber, además, que fue criado por su abuela. Pero el hecho de guardar odio hacia sus progenitores, le impedía ver la manifestación del Señor en su vida. Sin embargo, Dios le decía que sanaba su corazón.

Esa persona, totalmente asombrada por las palabras que salían de mi boca, ya que no había ninguna manera que yo pudiera conocer su vida, empezó a llorar pidiendo perdón a Dios. A continuación hice la oración de Eliseo diciéndole al Señor las palabras que él pronunció: "Yavé, abre sus ojos para que vea. Y Yavé abrió los ojos del joven…". *

A partir de allí, aquel hombre aceptó a Jesús en su vida. Esa noche sus lágrimas lavaron sus ojos. Cuando los abrió, el color gris azulado había desaparecido dejando lugar al color marrón que tenía naturalmente y una vista totalmente recuperada.

¡Gloria a Dios!

* 2 Reyes, 6:17, distinta traducción que la citada al inicio del testimonio. Tomada de la Biblia Latinoamericana, Edición revisada 2002, 43 edición, editorial Verbo Divino.

Amadísimo hermano:

Dios nunca nos abandona. Por el contrario, nosotros somos quienes lo abandonamos. Él es fiel a nosotros y su misericordia es para siempre. ¡Cuántas cosas quiere hacer Dios por nosotros, pero que lejos nos encontramos de Él! Quizás tú no estés viendo bendición en tu vida, porque estás faltando a sus mandatos. Puede ocurrir que estés con ira, odio, orgullo y soberbia que impiden que tu oración sea escuchada. Tal vez estés atrapado en tu pasado. "El Señor recorre con su mirada toda la tierra, y está listo para ayudar a quienes le son fieles"; 2 Crónicas, 16:9.
Hoy es tiempo de sanar. En este momento, pídele a Dios tu sanación espiritual. Padre, te pido que me sanes de todo mi pasado, de mis malos recuerdos. Que rompas mis ataduras, incluyendo las que me cuesta arrancar.
Hazme libre ahora. Te lo pido en el nombre de Jesús.

Amén.

Holy Land U.S.A.

En Washington D.C. hay un lugar franciscano que se llama "Tierra Santa de Estados Unidos", o sea, *Holy Land USA*. A nosotros, los Misioneros de Jesús, se nos invitó a predicar a ese lugar en una oportunidad. Cuando llegamos allí el prior franciscano nos invitó a almorzar con él. Al terminar, de paso por la cocina, observé en una esquina una imagen de San Lázaro con velas puestas y algunas frutas a su alrededor. Inmediatamente noté que se trataba de un acto de brujería, de espiritismo o de santería.

El sacerdote era americano (de padres italianos) y desconocía por completo las creencias de espiritismo. Entonces le expliqué en qué creían y cómo era que los brujos utilizaban imágenes como la que estaba en la cocina. Lázaro no es un santo. Es una parábola contada por Jesucristo de la que se extrae una enseñanza moral, pero los brujos lo utilizan para hacer sus actos de magia. El prior me explicó que la cocinera llevó esa imagen cuando se enteró que él tenía una enfermedad cardíaca. Se puso furioso, la llamó y le dijo: "¡Lo que tú me trajiste es brujería!"

Advertí que la presencia de ese hombre era para hacer el mal. Pero Dios estaba allí, se dejaba sentir y me encontraba inmovilizado ante su unción.

Ella, por su parte, trató de negarlo, dando su versión. El sacerdote, muy firme en su postura, le dijo que inmediatamente él iba a tirar esas cosas, pero que si volvía a traer algo semejante se iba a tener que ir de ese lugar. La señora también estaba muy enojada y al tiempo nos enteramos que llamó por teléfono a unos brujos que son conocidos como los hermanos Brian -muy nombrados en esa región por sus actos de hechicería-, quejándose de lo ocurrido.

Llegó el día del encuentro y se reunieron en el sitio que iba a predicar alrededor de tres mil personas entre laicos, religiosas y sacerdotes. Luego de hablar acerca de la Palabra de Dios, entramos en el momento de la oración. Fue tan profunda que se sentía la viva compañía del Señor entre nosotros. En la alabanza, el peso de dicha presencia fue aún mayor produciéndome deseos de llorar. Su poder me tomó por completo al punto tal de no poder levantar mis brazos.

Quería compartirlo con mis hermanos, mas me di cuenta que ellos estaban sintiendo exactamente lo mismo. De repente, vi entrar una persona llena de colgantes alrededor de su cuello y de sus muñecas. Me llamó mucho la atención.

Aquel hombre estaba vestido como indio. Se quedó en la parte de atrás, desde donde me miraba directamente a los ojos mientras pronunciaba palabras que no llegaba a entender. No tenía dudas que estaban dirigidas hacia mí y que se trataba de brujería. Advertí que la presencia de ese hombre era para hacer el mal. Sin embargo, Dios estaba allí, se dejaba sentir y me encontraba inmovilizado ante su unción. Vuelvo a girar hacia donde estaban los misioneros y, al mover mis manos hacia ellos, descansaron todos en el espíritu. Dicha escena se repitió al levantarlas hacia el pueblo. Observé atónito como, uno a uno, iban cayendo con efecto dominó, quedando únicamente dos personas de pie: el brujo y yo. Él al otro lado de la asamblea, mientras que yo me encontraba adelante.

El hechicero, asombrado por lo que estaba pasando no dejaba de mirarme fijamente. Decidí bajar de la tarima y empecé a caminar entre los cuerpos que estaban tirados en el piso hacia él y, con cada paso que daba, se sentía más y más la presencia de Dios. Mientras más me acercaba al hechicero más temblaba y balbuceaba en lenguas diabólicas dirigidas hacia mí. Cuando llegué donde estaba el brujo empezó a gritarme y con voz fuerte le ordené: "¡Cállate, en el nombre de Jesús!" Al mencionar el nombre de Jesús, el brujo también cayó al suelo en descanso.

En ese momento, me llené de temor porque era el único que estaba de pie en ese lugar. Todos estaban bajo la profunda presencia de Dios. Empecé a escuchar un llanto.

Al mirar me doy cuenta que era el brujo quien derramaba esas lágrimas, a la vez que hacía el intento de levantarse. Luego, con pena, temor y timidez empezó a arrancarse uno a uno los collares que tenía a su alrededor, los que se iban rompiendo y cayendo al suelo. Al concluir, me tomó la pierna y comenzó a pedirme perdón. Le dije que con quien debía disculparse era con Dios y no conmigo. Le pregunté si quería entregar su vida a Cristo Jesús.

Hermano, aquel hombre que había llegado allí enviado por la organización de brujos de los hermanos Brian, como luego contó al brindar su testimonio, a partir de ese día entregó su vida al Señor.

¡Gloria a Dios!

Amadísimo hermano:

Eleva junto a mí esta plegaria al Señor. En este momento, Dios mío quiero presentarte, toda situación que no tenga explicación científica o que no sea comprendida por la lógica humana. Tú que todo lo sabes, que todo lo conoces, te pido que obres en la vida de cada uno de los lectores, desatando toda ligadura espiritual y toda cadena de maldición. Todo lo que no es tuyo, retíralo. Obra Señor en mis hermanos. Libéralos y sánalos en el nombre de Jesús.

Amén.

Yamilke

Mi primera misión en la República Dominicana fue de una gran bendición. Estuve catorce días viajando por toda la isla, habiendo sido invitado por el Padre Rafael Delgado a Cotuí y Sebico.

Dicho párroco, más conocido por todos nosotros como el Padre Chelo, es una persona muy ungida, lleno del fuego del Señor. En aquellos días recién or-denado de sacerdote, tenía un deseo muy grande de evangelizar en los alre-dedores de su nueva parroquia, como así también en las ciudades vecinas.

Yamilke estaba blasfemando al Santísimo en el momento en que entré al sitio donde estaba expuesto.

Sin embargo, la manera tan ac-tiva de llevar a cabo su misión de sa-cerdote provocó reacciones en contra, ganándose muchos enemigos, princi-palmente por atacar fuertemente la brujería y el espiritismo. Uno de sus adversarios era un haitiano, apodado el diablo, cuya apariencia física era muy negativa, agravada aún más por el hecho de tener un ojo color café y el otro azul. Este personaje quiso destruir la obra evangelizadora emprendida por el Padre Chelo. Para lograr su fin, comenzó a enviar -tanto a la parroquia de ese sacerdote como a la iglesia vecina- a tres jovencitas bajo posesión demoníaca para que, en el momento de la consa-gración Eucarística, se quitaran la ropa. Cuando ello ocurría, los ujieres rápidamente las retiraban de la iglesia. Pero ellas salían a los gritos diciéndoles a los respectivos sacerdotes que si ellos dejaban que Neil Velez llegara a la misión le des-truirían todas sus misas y los matarían.

Como señalé anteriormente, esa situación ocurría tan-to en las parroquias de Cotuí y de Sebico, lugares donde íbamos a llegar con los Misioneros de Jesús. No obstante todos los ataques que estaba sufriendo el Padre Chelo en su parroquia, decidió continuar con la misión sin hacer caso a las amenazas. No dudó en recibirnos y de ese modo enfrentar al enemigo. Mas el otro sacerdote -quien estaba lleno de miedo- resolvió cancelar el encuentro y enviar a todos sus fieles a la iglesia del Padre Rafael Delgado.

Al llegar el día de la misión, un viernes por la noche, nos encontrábamos en el campo deportivo de una escuela pública, donde se había acondicionado una tarima para acoger a las miles de personas que se darían cita esa noche. Se respiraba en el ambiente un aire negativo, el que dejaba traslucir que algo no estaba bien. El Padre Chelo se dirigió hacia mí y me dijo: "¡Ánimo, hermano Neil! Parece que el diablo la tiene contra ti". Entonces, me contó las experiencias que anteriormente él había tenido con las poseídas que infundían amenazas a cualquier intervención que yo hiciese, en el nombre de Cristo.

Acto seguido, subí a la tarima tomando el micrófono en mis manos y grité fuertemente: "¿Quién vive?" Al pronunciar dichas palabras, dentro de la gran masa que llenaba el campo deportivo, se escucharon enérgicos gritos de personas endemoniadas que ahora se dirigían hacia la tarima tratando de llegar hasta donde yo estaba para hacerme daño. En el evento se encontraban muchos servidores de la comunidad denominada Siervos de Cristo Vivo, la que fue dirigida por el fallecido Padre Emiliano Tardiff. Ellos, rápidamente, asistieron a los trece posesos y los trasladaron a diferentes aulas de la escuela.

El espíritu mayor de los endemoniados tenía por nombre Yamilke. Dicho espíritu escuchaba el llamado de los otros poseídos cuando ellos debilitaban su fuerza. Lo buscaban pronunciando su nombre una y otra vez. Mientras todo esto acontecía, yo continué con mi prédica y con la oración de sanación de acuerdo a lo previsto. Al terminar el evento, me dirigí a cada salón del colegio donde oré por liberación de los distintos jóvenes que, separadamente, se encontraban en las aulas. Cuando se produjo el encuentro con el espíritu mayor, Yamilke, lo que hallé fue a una religiosa agredida por dicho espíritu, nada más y nada menos que con el Santísimo que estaba allí expuesto. La monja había intentado orar por esa joven poseída. La escena que presencié fue realmente grotesca.

Yamilke estaba blasfemando al Santísimo en el momento en que entré al sitio donde estaba expuesto. Acudí allí rápidamente alertado por los gritos que se escuchaban. Al ver la agresión de dicho espíritu a nuestro Señor, se apoderó de mí un celo espiritual que no pude contener. Por ello, con gran autoridad y severidad le ordené que callara en el nombre de Jesús. La joven poseída por aquel espíritu maligno cayó en descanso espiritual, liberada. Ante su silencio, la enviamos a su casa.

Para nuestra sorpresa, dos días después -el domingo, en la clausura del evento- ella estaba allí junto a su familia. Ellos me contaron que, desde el momento que mandé a Yamilke a callar en el nombre de Jesús, la jovencita había enmudecido. Una vez que escuché el relato de sus parientes inicié una oración en la que le pedí perdón al Señor por ella, intercediendo para que la sanara. Finalmente, cancelé la orden previa de no hablar que, con tanta fuerza, pronuncié la noche del viernes. En ese mismo instante, Teresa, tal era el nombre de la joven, comenzó a cantar y a alabar a Dios.

¡Gloria a Dios!

Amadísimo hermano:

No le temas al diablo. La única autoridad que tiene es la que nosotros le damos. Resistan al enemigo y él huirá de ti. En la 1-Juan, 3:8 se lee lo siguiente: "En cambio quienes pecan son del Diablo, pues el Diablo peca desde el principio. Para esto se ha manifestado el Hijo de Dios: para deshacer las obras del Diablo." Padre, en el nombre de Jesús, protégeme de todo mal.

Amén.

El taxista brujo

Yo creo en las *citas Divinas,* es decir, en que nada es coincidencia o casualidad; sino que, por el contrario, todo está dentro del plan de Dios.

En una oportunidad, encontrándome en mi casa listo para ir a una vigilia, tomé una tarjeta con el teléfono de una empresa de taxi. Llamé y pedí que me enviaran un carro. Específicamente solicité el número 26, puesto que así lo indicaba la cartulina que tenía en mi mano.

Yo creo en las *citas Divinas,* es decir, en que nada es coincidencia o casualidad.

Me hicieron saber que no había inconveniente, puesto que dicho conductor estaba cerca de donde yo vivía. A la misma vez, la operadora le comunicaba por radio a ese chofer sobre el nuevo pasajero. Con la certeza de que no existen casualidades en Dios y de que todo está dentro de su plan, me subí al automóvil. Ya dentro del vehículo, noté cómo el taxista sostenía su cabeza, mientras se quejaba de un fuerte dolor. No pude dejar de notar las distintas imágenes utilizadas por brujos y santeros que tenía pegadas sobre el tablero de su carro.

Al preguntarle si se encontraba bien, me respondió que sufría de migrañas, las cuales le provocaban no sólo terribles dolores sino también náuseas. Agregó que, justo en ese momento, estaba teniendo un nuevo episodio. Que, luego de llevarme se iba a su casa. Me explicó que las fuertes jaquecas lo obligaban a guardar reposo con la luz apagada. Pero, dentro de mí pensaba que Dios tiene, algunas veces, un sentido del humor muy particular. Le gusta ponerme en situaciones extrañas para Él ser glorificado. No tenía ninguna duda de que ese caso se trataba de una *cita Divina.*

Con voz firme le dije: "Señor, yo conozco un Dios que es capaz de sanarlo en este momento." Entonces, el conductor me respondió: "Sí, yo también, mientras me señalaba todo el tablero lleno de imágenes." Luego, agregó: "Le he pedido a cada una de las estampas que tengo aquí por sanación y no he mejorado en nada. Sigo con estos fuertes dolores, que cada vez se repiten con más frecuencia." Fue así que le contesté: "Vas a seguir del mismo modo, porque ninguna de esas imágenes te puede sanar. Además, esas creencias son abominables ante los ojos de Dios", concluí firmemente.

Fue en ese momento cuando comencé a explicarle acerca de las *citas Divinas.* Le dije que podía haber estado en cualquier otro taxi, pero que Dios me había enviado al carro número 26 para así Él poder glorificarse. Le pregunté si podía orarle, invitándolo a que entregara su vida a Cristo Jesús. Mientras oraba, el poder de Dios nos abrazó a los dos. El taxista comenzó a llorar, dándole gracias a Dios. Se dio vuelta y tomándome de las manos dijo: "Hermano, no sé como usted se llama, pero quiero decirle que los dolores de cabeza han desaparecido." Esa noche, me acompañó a la iglesia donde se llevó a cabo la vigilia, aceptando a Cristo en su vida. No lo volví a ver.

Pasado un período de tres meses, inesperadamente un día que caminaba por las calles de Nueva York, escuché la bocina de un carro. Era el taxi número 26, pero ahora lucía completamente diferente. Tenía un letrero grande que decía: "Cristo vive". Cuando miré hacia el tablero, vi las marcas de pegamento dejada por las imágenes que tenía anteriormente.

Me saludó de un modo típicamente cristiano. Me contó que, a partir de la noche que oramos juntos, jamás volvió a sufrir un nuevo episodio de migraña.

¡Gloria a Dios!

Amadísimo hermano:

Toda creencia puesta en otro poder que no sea el poder de Dios es una atadura espiritual. Sólo Dios tiene la autoridad y si pones tu confianza en Él, obrará en tu vida. Considérense dichosos cuando tengan que enfrentarse a diversas pruebas, pues saben que la prueba de la fe produce constancia. Y, la perseverancia, debe llevar a feliz término la obra, para que sean perfectos e íntegros, sin que les falte nada. Si alguno de ustedes les falta sabiduría, pídanle a Dios, y se las dará. El Señor da a todos generosamente, sin menospreciar a nadie. Pero, pidan con fe, sin dudar, porque quien duda es como las olas del mar, agitadas y llevadas de un lado a otro por el viento. Véase Santiago, 1:2-8.

Amén.

Escrito está

Estando de misión en Bayamón, Puerto Rico, en un lugar donde se venera a la Virgen María llamado por sus habitantes Monte Santo ocurrió un hecho sorprendente. Me encontraba hablando sobre la autoridad de la Palabra de Dios. Respaldaba mi prédica en Isaías, 55:11: "...así será la palabra que salga de mi boca. No volverá a mí con las manos vacías sino después de haber hecho lo que yo quería, y haber llevado a cabo lo que le encargué."

Reflexionaba sobre la sujeción o sometimiento que todo tiene a la Palabra de Dios, inclusive hasta el mismo Satanás. En el evangelio de San Mateo, 4:1-11 Jesús se defiende del ataque del diablo con la misma Palabra de Dios. Terminado el mensaje, continué con la oración por los enfermos. Dentro del ministerio de alabanza que fue invitado para dirigir al pueblo con cantos y oraciones, aconteció algo inesperado por todos nosotros. Uno de sus integrantes, bajo la acción o posesión de un espíritu maligno, intentó quitarse la vida ante la mirada atónita de los allí presentes. Este joven, bajo el dominio de Satanás, colocó alrededor de su cuello el cable de uno de los micrófonos con la intención de ahorcarse. Luego, se lanzó bruscamente de la tarima.

Todo está sujeto a la Santa Palabra de Dios.

Inmediatamente, fue auxiliado por los servidores para evitar que se suicide. Ellos fueron agredidos por el espíritu que, además de propiciarles golpes, les rompió parte de la ropa que tenían puesta. Cuando finalmente logran soltar al joven del cable al que estaba atado, él se levantó y caminó en dirección hacia donde yo me encontraba. Se movía sin desviar la mirada de mi rostro, la que mantenía fija, mientras gritaba que la Palabra de Dios no tenía poder y que todo lo que yo predicaba era mentira. Es así que, tras un breve instante, se arrojó furiosamente contra mí con la intención de lesionarme.

Al igual que Jesucristo que se defendió con la Palabra, hice lo propio ya que era el único recurso que tenía a mi alcance, abierta justamente en San Marcos, 1:21-26. La escritura nos describe el momento en que Jesús estaba enseñando en la sinagoga cuando entró un hombre en poder de un espíritu impuro y Él, con autoridad, le hizo frente y lo expulsó.

Apresuradamente, tomé la Escritura, la levanté y con ella le pegué al joven que desenfrenadamente continuaba pronunciando que la Palabra no tenía poder. Fue así que el poseso, al recibir el golpe propinado con la Biblia, quedó inmediatamente liberado demostrando el Señor, una vez más a Satanás, que todo está sujeto a la Santa Palabra de Dios.

¡Gloria a Dios!

Amadísimo hermano:

"Dice la Escritura: El hombre no vive solamente de pan, sino de toda palabra que sale de la boca de Dios", San Mateo, 4:4. Ayúdame Señor a que mis ojos no se aparten de tus mandatos y preceptos, pues tu Palabra es mi alimento espiritual y mi sostén.

Amén.

Capítulo V
Acondiciona al instante

Acondiciona al instante

Yo siempre digo que tengo un Dios un poco raro porque más de una vez me ha puesto en situaciones extrañísimas, como la que a continuación les voy a relatar.

Una vez, estando en casa de mi tía, Margarita Arroyo, alistándome para ir a una vigilia y mientras estaba en el baño de su vivienda, percibí una voz que claramente me dijo: "Sal de ahí y ve a *Walgreens* a comprar un *instant conditioner* (crema de enjuague) de pelo marca *Wella Balsum.*" Era una petición poco usual, pero como no tengo ninguna duda que Dios nos habla, que se comunica con sus hijos, le obedecí. Siempre digo que debemos ser muy cuidadosos sobre este tema. Si verdaderamente el Señor se pone en contacto con nosotros, tenemos que estar dispuestos a morir por lo que Él nos ha dicho.

Yo siempre digo que tengo un Dios un poco raro porque más de una vez me ha puesto en situaciones extrañísimas.

Yo trato de cumplir lo que Dios me pide cuando escucho su voz. Y así pues, salí del baño para dirigirme al lugar que me fue indicado, no sin antes observar que dentro de ese baño, utilizado por mi tía y prima (como hacen generalmente las mujeres, se apoderan de todo el espacio) había toda clase de productos de tocador, mas no se encontraba la crema de enjuague de cabello indicada por el Señor.

Otro punto importante que quiero destacar es que ese producto lo podía comprar en cualquier negocio cerca de la casa donde yo estaba. Sin embargo, Dios me enviaba a un lugar específico: *Walgreens.* Este sitio estaba ubicado a por lo menos diez cuadras de donde me encontraba aquella mañana de invierno, en la ciudad de Nueva York, y bajo una tormenta de nieve. Pero no dudé en cumplir el mandato del Señor.

Ya dentro de *Walgreens,* comienzo a buscar el pasillo correspondiente a esa clase de productos. Al encontrarlo, camino por el corredor vacío para buscar la marca *Wella Balsum.* Advertí que, simultáneamente, al otro extremo de la góndola entraba una señora que tenía no sólo dificultad al caminar, sino que además estaba un poco jorobada. No presto demasiada atención ya que voy leyendo los letreros en busca del acondicionador.

Al encontrarlo, me incliné a tomar la botella correspondiente en el momento preciso que la señora también se agacha a tomar el mismo envase, el cual se nos resbaló de las manos. Los dos hacemos el intento de detener la botella pero ella, al perder el equilibrio, empezó a gritar: "¡Con cuidado, con cuidado!" Enseguida me explicó que no hace mucho tiempo atrás, le hicieron una operación de disco. Además, dijo que tenía dos tornillos en la columna por lo cual no le resultaba fácil enderezarse. En ese momento veo la botella caída en el piso y leo *instant conditioner* (acondicionador instantáneo).

Fue ahí que entendí porqué Dios me había sacado de mi baño para ponerme a caminar diez cuadras en medio de una tormenta de nieve. Quería acondicionar al instante la vida de aquella mujer. Me atreví a decirle, pese a la situación en la que nos encontrábamos, que yo conocía a alguien que podía en ese momento acondicionar su vida. Ella respondió textualmente: "Creo en Dios, pues soy Testigo de Jehová."

Ahora bien, aquellos que conocen esta religión también sabrán el problema en el que me encontraba. Para los testigos de Jehová, Jesús no es el Señor sino un profeta más. ¿Pero cómo resolver la situación en la que estaba metido? Por un lado, tenía la plena convicción de que fue Jesús quien me llevó a *Walgreen* esa mañana tormentosa, para que en su nombre administrara su poder y su gloria a la señora. Pero, ¿cómo hacerlo si ella no cree en Él?

Luego pensé, si Dios puso en mí tal inquietud tuvo que haber hecho algo similar con ella; por tal motivo, me atreví a decirle unas palabras, no sin antes advertirle que tal vez le suenen raras o hasta locas. Fue así que comencé con el relato de lo que me había ocurrido hacía apenas una hora, mientras estaba tomando un baño. Le conté también acerca de la voz indicándome que fuera a *Walgreens*. Ella me miró asombrada, diciéndome en un tono tembloroso que también se estaba bañando cuando sintió la necesidad de salir para dirigirse a igual sitio.

Aproveché el momento para decirle que fue Jesús quien puso la inquietud en ambos para que llegáramos a aquel lugar. No tengo dudas, le señalé, que Él quiere acondicionar su vida en este instante. Le pedí que me permitiera orarle. Ella, un poco avergonzada, me recordó que no nos encontrábamos en el lugar adecuado para hacerlo. Por mi parte, insistí que *Walgreens* era el lugar que Dios había escogido. Fue así que aceptó.

Luego de iniciar la oración sentí una mano fuerte tocando mi espalda. Era el gerente del negocio muy molesto que nos decía en inglés: *"Take this out of my store"* (saquen esto fuera de mi negocio). Por supuesto que sabía que era el enemigo tratando de robarle la gloria de Dios a esa mujer.

Pues yo empecé a reprender al demonio en aquel pasillo de *Walgreens* y cuando mencioné el nombre de Satanás aquella mano pesada dejó de tocarme. Al mirar hacia atrás, advertí que el pasillo estaba nuevamente vacío. Sin darle otra oportunidad al diablo continué, sin perder tiempo, con la oración porque sabía que el gerente regresaría. Entonces dije: "Señor Jesús: ya que trajiste a esta señora a este sitio, te pido en tu nombre, que la sanes."

Al terminar de pronunciar tales palabras, ella empezó a enderezarse. Anteriormente, por el problema que tenía en la columna, se encontraba impedida de hacerlo. Con su movimiento estallaban los huesos uno por uno, *tra-tra-tra-tra* y quedó en ese momento completamente sana.

La señora no podía parar de llorar y yo, un poco confundido, le pregunté porqué lo hacía si Jesús la había ya sanado. Ella me respondió que precisamente por eso lloraba. Porque en quien ella no creía, más aún, a quien ella despreciaba y criticaba la había liberado de su problema. Ese día aceptó a Jesús en su vida. Con lágrimas en los ojos nos dimos un abrazo y nos fuimos de *Walgreens* sin el producto *Wella Balsum*.

¡Gloria a Dios!

Amadísimo hermano:

Te invito a que en este momento entres conmigo en oración para tener acceso al poder de Dios, donde todo es posible. Repite junto a mí las siguientes palabras. Señor, ayúdame a entender tus caminos. A veces, no alcanzo a comprenderlos, no los puedo ver. Pero, como si fuera un niño, tómame de la mano y condúceme por donde tú quieras que yo vaya. Que se haga en mí tu voluntad.

Amén.

La mujer y sus cinco hijos

En una ocasión, una hermana que estaba enferma de cáncer llegó a la Gran Asamblea de Nueva York. Lo tenía extendido por todo su cuerpo. Anteriormente, en la asamblea, habíamos orado por su condición. Recuerdo que fue una tarde en la que llegó allí acompañada por sus cinco hijos. El mayor era bastante alto y a partir de ahí iban descendiendo hasta llegar al recién nacido, quien se encontraba en su cochecito.

Ella tenía muy mal aspecto. Me acerqué para saber cómo seguía. Al formularle la pregunta, ella me respondió: "Pues aquí estoy hermano Neil, con este cáncer que Dios me puso para su honra y gloria." Los que realmente me conocen saben que si tú me hablas de esa manera tú y yo vamos a tener un problema serio. No comparto esa creencia, porque soy testigo del poder de Dios. Soy una persona bendecida por el amor y misericordia de nuestro Padre.

"Hermana, lo que tú no deseas para tus hijos, así tampoco nuestro Padre que está en el cielo lo desea para ti."

Le tomé las manos y le dije: "Hermana, dice la Palabra de Dios que cuando dos o más se ponen de acuerdo en algo, Él se pone de acuerdo con nosotros [San Mateo, 18:19-20] y, en este momento, quiero ponerme de acuerdo con usted haciendo una oración." Ella me respondió: "Está bien, hermano Neil, pero ¿en qué nos vamos a poner de acuerdo?"

"Ya que usted dice que Dios le dio este cáncer para su honra, vamos a pedirle que también a sus cinco hijos les dé cáncer, desde el mayor hasta el menor que tienes en el cochecito. De este modo, la gloria y el poder del Señor aumentarán aún más."

Ella rápido me soltó las manos. Se negaba a ponerse de acuerdo conmigo, mientras me miraba como si estuviera mal de la cabeza. No podía dar crédito a las palabras que salieron de mi boca. Entonces, me dijo: "Hermano Neil, ¿qué madre desearía algo semejante para sus hijos?" Serenamente, le contesté con otra pregunta: "Hermana, ¿eres tú hija de Dios?" Ella, con voz fuerte, dijo: "Sí, lo soy". Continué diciéndole: "¿Estás segura que sí eres hija de Él?" "Sí, insistió, sí lo soy." Entonces le dije: "Hermana, lo que tú no deseas para tus hijos, así tampoco nuestro Padre que está en el cielo lo desea para ti."

La tomé nuevamente de las manos y le dije: "En este momento nos vamos a poner de acuerdo para que la gloria de Dios se manifieste en ti." Y oramos por su sanación, entrando ella en un profundo descanso en el espíritu. En fe la declaramos sana y dimos las gracias en el nombre de Jesús. Se fue de la asamblea junto a sus cinco hijos.

No la volvimos a ver por tres semanas, hasta que un domingo entró corriendo a la asamblea llena de emoción y alegría. Llegó con sus cinco hijos y el resto de su familia, luciendo bonita y radiante. No tenía dudas de que algo había ocurrido en ella. Me acerqué, mientras ella caminaba hacia mí sacando unos documentos de su cartera. Luego me dijo: "Hermano Neil, no diga ni una palabra; sólo quiero que vea lo que tengo aquí." Entonces, me enseñó la historia clínica donde constaba que padecía cáncer. Por el contrario, los últimos estudios médicos daban cuenta de su estado de sanidad, es decir, que el cáncer que una vez tuvo había desaparecido por completo.

¡Gloria a Dios!

Amadísimo hermano:

"El ladrón no viene más que a robar, matar y destruir. Yo he venido para que tengan vida y la tengan en abundancia", San Juan, 10:10. Entiende que Dios no es un ladrón. Él no ha venido para quitarnos, sino para darnos. Te preguntarás qué es lo que nos quiere dar. La respuesta es salud, paz, salvación, vida eterna y plenitud. Él desea lo mejor para ti. Recibe en el nombre de Jesús lo que el Señor desea darte.

Amén.

Juana Díaz, Puerto Rico

Estábamos en una misión en Puerto Rico, en el pueblo de Juana Díaz. A la asamblea llegó un hermano llamado Joe, quien trabajaba en un hospital que atiende sólo a enfermos del síndrome de inmunodeficiencia adquirida (sida). Él concurrió a aquella reunión con treinta personas. Los trasladó en dos camionetas, con quince pasajeros cada una. Todos infectados con aquel virus.

Empecé a predicar la Palabra de Dios mientras observaba atentamente a un hombre llamado Edwin, quien estaba ubicado en la primera fila. Él tenía cáncer. No podía caminar debido a que esa enfermedad le había debilitado su médula ósea y se estaba muriendo. Lo llevaron en una camilla y lo ubicaron adelante. La prédica trató sobre el poder de Dios. Les decía que adentro de cada uno habita dicho poder que aguarda a que lo invites a manifestarse en tu vida. Sin importar la situación en la que te encuentres ni lo que los médicos te hayan dicho, tú puedes despertarlo en el momento que quieras. Ahí está siempre, a la espera.

Fue así que todos los reunidos en aquel lugar se llenaron de tanta fe que comenzaron a creer en sus milagros. Y, al creer en ellos, soltaron el poder de Dios.

Así comencé a anunciar que la mejor medicina no la tiene la farmacia, tampoco la tiene el médico con lo que te haya recetado; por el contrario, está adentro de nuestro ser. Mientras decía esas palabras, aquel pueblo comenzó a orar y a llorar de la fuerte presencia de Dios. Fue así que todos los reunidos en aquel lugar se llenaron de tanta fe que comenzaron a creer en sus milagros. Y, al creer en ellos, soltaron el poder de Dios. ¿Cómo es que se libera dicho poder? A través de la fe. "La fe es aferrarse a lo que se espera, es la certeza de cosas que no se pueden ver", dice Hebreos, 11:1.

El pueblo desbordaba de fe, y el Señor comenzó a manifestarse a punto tal que el hombre que había llegado en esa camilla, Edwin, se levantó de ella y las ronchas que tenía en todo su cuerpo, también como consecuencia del cáncer, habían desaparecido por completo. Él rápidamente se proclamó sano en fe y se mantuvo firme ahí. Aquellos hombres que llegaron infectados con el virus del sida, ellos mismos uno por uno, comenzaron a pasar al frente gritando que el Señor los había sanado.

Una semana más tarde, aquel grupo que fue llevado por Joe en dos vans me llamó por teléfono para decirme: "Hermano Neil, sé que ustedes van a estar hoy a la noche en Bayamón, en un encuentro y nosotros vamos a ir a dicho lugar para mostrarle algo." Aparecieron allí en varios vehículos y uno de los conductores era Edwin. Se bajó del carro con tanta prisa y emoción al verme que, en el apuro, por poco su camioneta pierde la puerta. Corrió hacia mí para contarme, con las pruebas médicas en las manos, que el cáncer había desaparecido por completo.

Además, aquella camioneta transportaba trece pasajeros, sanados del virus del sida. Tenían en sus manos sus respectivas pruebas médicas que corroboraban sus sanaciones. Se trataba de trece de las treinta personas que, en el pueblo de Juana Díaz, habían pasado de a uno proclamando en fe que Dios los había liberado de su enfermedad.

¡Por creer que iban a recibir lo que estaban esperando, despertaron el poder de Dios en sus vidas!

¡Gloria a Dios!

Amadísimo hermano:

Proclama ahora tu sanidad. No te detengas ante las limitaciones de la ciencia médica. Nuestro Dios abre caminos donde no existen. Para Él nada es imposible. Declara, en este momento, conmigo: Sí creo Señor, en el nombre de Jesús, que estoy sano.

Amén.

El muerto que resucitó

El pueblo salvadoreño es un pueblo que ha ganado mi corazón. Con todo mi amor lo llamo "pueblo mío", ya que me siento ciudadano de ese gran país de fe. Una nación que ha sufrido mucho: guerra, hambre, enfermedad, pero en el medio de todas esas circunstancias se ha levantado una gran comunidad de fe. Dios ha escogido ese lugar para demostrar su misericordia.

La primera vez que visitamos dicho país fue en tiempo de posguerra. El pueblo saliendo de ella, luego de muchos años de lucha, donde miles y miles fueron afectados. Estaban dejando atrás los inconvenientes causados por las hostilidades y tenían la necesidad de escuchar un mensaje de fe. No tengo dudas de que Dios escogió ese territorio para llevar esperanza. Recuerdo que en los comienzos de nuestras misiones en El Salvador, recorrimos pequeñas comunidades y cantones, donde administrábamos a diez, veinte, o treinta personas como máximo. ¡Dios constantemente confirmaba su Palabra con prodigios y señales!

Llegan con fe al encuentro de los Misioneros de Jesús; pero, igualmente un hombre muere.

La cantidad de gente que asistía a nuestras asambleas fue creciendo velozmente. Los fieles se fueron acercando a ellas más y más a medida que pasaba el tiempo. Hasta hoy en día los estadios más grandes de Centroamérica no son suficientes para albergar la masa que llega a nuestras misiones. Reuniones que comenzaron con reducidos grupos albergan en estos días a más de doscientos cincuenta mil fieles. Lo más llamativo de todo esto es la inquebrantable fe que he encontrado en ese pueblo. Son muchos los testimonios que he vivido junto a mis hermanos salvadoreños.

En particular, recuerdo ahora una misión de quince días, de las que seguimos realizando una vez por año. El lugar estaba desbordado de gente, con miles de personas que se encontraban incluso en el Santuario y llegaban hasta los portones de entrada. Cuando vamos a predicar a aquel país casi nadie va a la escuela y muchas personas dejan de trabajar para asistir a nuestros encuentros. Católicos y no católicos están pendientes de esas asambleas por todas las cosas que han escuchado que ocurren allí. La gente empieza a sacar enfermos de los hospitales, como también a toda la familia de sus casas con la esperanza de ser sanados y bendecidos.

El primer día de aquella misión, teníamos que predicar en la Asociación Ágape ubicada en Sonsonate. Entre las personas reunidas, se encontraba uno de los tantos enfermos sacados del hospital. Se trataba de un señor que sufrió dos infartos y su estado era crítico. Al enterarse sobre nuestra misión, el hombre quiso asistir al encuentro acompañado por su esposa e hija. Como se encontraba hospitalizado, pidieron la autorización correspondiente al médico que lo atendía. Él negó el permiso debido a la condición crítica del paciente, sugiriendo que lo mejor era que permaneciera en el hospital. Pero, ante la insistencia de la familia, terminó accediendo bajo el acuerdo de transportarlo en ambulancia hasta el evento, quedarse allí y regresarlo a la clínica apenas terminara.

Así ocurrió. Como llegaron tarde, les tocó situarse en la parte de atrás. El médico, quien estaba con ellos, ayudó a ubicar al hombre con su camilla. El encuentro fue muy poderoso. Se predicó la Palabra de Dios y en el momento de la oración invité a las personas que estaban allí a que se olvidaran de sus problemas o circunstancias, que levantaran sus brazos para alabar a Dios. Él habita en la alabanza, dice el Salmo 22.

Aquel gran pueblo de fe levantó sus manos para glorificar a Dios. Sus alabanzas, en coro, sonaban como truenos. A pesar de su potencia, fueron interrumpidas por gritos provenientes de la parte trasera que cuestionaban a Dios: "¡Porqué Dios, porqué!" Otra voz femenina se sumaba a la primera. La multitud reunida, me impedía ver lo que estaba ocurriendo. Los servidores, junto con algunos sacerdotes se dirigían hacia el fondo. Por mi parte, seguía orando con el pueblo. Eran tan potentes los gritos que las alabanzas empezaron a disminuir y a opacarse. Poco a poco, la gente comenzó a darse vuelta para ver que ocurría.

La estrategia de Satanás es bien conocida, buscando circunstancias para que el pueblo de Dios quite su mirada de Él. Los medios de comunicación que estaban allí pendientes de lo que ocurría, fueron corriendo al lugar de donde provenían los gritos. El diablo trató de utilizar estos medios para destruir la obra del Señor. Aquel día era particularmente importante puesto que, como dije anteriormente, era el primer día de quince. Las personas que habían asistido ascendían a treinta mil, cifra que se duplicaría al día siguiente y así sucesivamente, en parte, por la cobertura de los medios de comunicación que permiten que la gente se entere de estos acontecimientos. Pero a través de ellos, también era posible que la obra quedara destruida ese mismo día.

El diablo quería aniquilar, sin lugar a dudas, la gran misión que iba a reunir a doscientas cincuenta mil personas. Todo el mundo fue hacia la parte de atrás. Cuando miré hacia allí, uno de los servidores me hacía señas como que alguien había muerto. Mas ignoraba qué era lo que estaba sucediendo. Sabía que se trataba de una estrategia de Satanás y observaba cómo el pueblo estaba reaccionando hacia todo eso: dejaban de alabar a Dios. Tomé el micrófono y exhorté a los presentes a que se olvidaran de todo lo que escuchaban o del movimiento que observaban y que vuelvan a levantar los brazos para alabar y glorificar a Dios. Insistí en que confiaran solamente en Él.

Le doy el micrófono a otra persona para que siguiera dirigiendo y bajé de la tarima corriendo para enterarme de lo que ocurría. Cuando llegué, vi las cámaras de televisión con sus reporteros allí instalados para transmitir las noticias una vez que culminara el evento. El médico colocó una sábana blanca sobre un hombre que yacía sobre una camilla. Ese hombre, en medio de la gente sufrió un infarto que le causó la muerte. Me dijeron que rápidamente iban a sacar el cadáver del lugar. Cuando intentaron subirlo para colocarlo dentro de la ambulancia, le quité la sábana y dije: "¡Esto es una mentira del diablo!" No podía evitar imaginarme los titulares del día siguiente: "Llegan con fe al encuentro de los Misioneros de Jesús; pero, igualmente un hombre muere".

El médico, muy enojado, vuelve a colocar la sábana sobre la cabeza del hombre y me manifestó: "¡Ya nada se puede hacer por él, ha muerto!" Sin prestar demasiada atención a sus palabras, quité la cobertura del cuerpo sin vida repitiendo las mismas palabras: "¡Esto es una mentira del diablo!" El médico me contestó impaciente: "Yo soy médico y acabo de certificar la muerte de esta persona." Mostrándome su autoridad colocó nuevamente aquel género sobre el cadáver.

Con iguales palabras le quité de nuevo la sábana, repitiendo: "¡son mentiras de Satanás!" Y entonces dijo: "Soy sobrino de la persona que falleció. Él pudo haber estado en el hospital y nada hubiera ocurrido. Por estar aquí es que murió, pero ya nada se puede hacer por él." Fue así que el médico volvió a cubrirlo y yo a retirar la cobertura. Por última vez pronuncié estas palabras: "¡Esto es mentira del diablo!" Señalando el cadáver dije: "¡Te ordeno que en el nombre de Jesús te levantes!" Aquel hombre que estaba muerto, entró en convulsiones y regresó a la vida completamente sano.

Al día siguiente, el estadio estaba completamente lleno. No sólo Dios levantó a aquel hombre de la muerte, sino que lo sana de toda su condición y convierte a toda su familia.

¡Gloria a Dios!

Amadísimo hermano:

Jesús es la Resurrección y la Vida, el que cree en Él nunca muere, dice San Juan, 11:25-26. "¿Por qué este alboroto y tanto llanto? La niña no está muerta, sino dormida. Y se burlaban de él. Pero Jesús los hizo salir a todos, tomó consigo al padre, a la madre y a los que venían con él, y entró donde estaba la niña. Tomándola de la mano, dijo a la niña: 'Talitá kumi', que quiere decir: Niña, te lo digo, ¡levántate! La jovencita se levantó al instante y empezó a caminar"; San Marcos, 5:39-42. Padre amado, tú eres el dador de vida. ¡Gracias por rescatarme de la muerte!

Amén.

Dios nos busca constantemente

"Tanto amó Dios este mundo que envió a su único hijo para que todo aquel que en Él crea tenga vida eterna y no muera", dice la Biblia en San Juan, 3:16.

Dios siempre nos está buscando. No importa donde estés o cómo te encuentres. Un ejemplo de ello es el caso de Héctor.

Héctor era una persona con to-das las características para fracasar en la vida. Nació en un hogar dis-funcional. Su padre era un curande-ro que practicaba brujería haciendo sacrificios con sangre. Además, era alcohólico y abusaba de su madre. La mamá de Héctor, era una seño-ra que fue tomada a temprana edad por la fuerza para ser esposa de ese hombre. El menor de sus siete hijos, Héctor, nació como producto de una violación.

Héctor no sabía que Dios lo estaba buscando, que lo llamaba suavemente al oído.

Así fue que todos los miembros de la familia, a ex-cepción del padre, crecieron con una fuerte repulsión ha-cia las noches. Era pues, dentro del horario nocturno, el momento en que el hombre retornaba ebrio a su casa, luego de la práctica de sus cultos. Con frecuencia abusaba físicamente de su madre y de sus hermanos. En algunas ocasiones, Héctor terminaba en el hospital.

No contando con los recursos necesarios para estu-diar, desde niño no le quedó más remedio que salir a las calles de Nueva York para ganarse el pan de cada día. Las calles violentas de esta ciudad fueron sus maestros, haciendo él cualquier cosa para sobrevivir.

Su madre muere a temprana edad por causa de una hemorragia interna provocada por su esposo, cuando Héctor sólo tenía trece años.

Al morir la persona a quien este niño más quería en manos de su padre, Héctor lleno de rencor decidió abandonar su casa y sus hermanos para refugiarse en el único mundo que conocía: la agresiva ciudad de Nueva York.

Dentro de ese mundo, Héctor descubrió las pandillas, los robos, las peleas, y las drogas. Luego comenzó a mostrar interés por la brujería, convirtiéndose en un ser todavía más despreciable que aquel hombre a quien tanto odiaba: su padre.

Ya adicto a diferentes tipos de drogas (marihuana, cocaína y heroína) como así también al alcohol, para mantener ambos vicios comenzó a cometer delitos, llegando incluso a prostituir su cuerpo.

Dormía en esas calles frías, llenas de nieve, comiendo de lo que la gente botaba en la basura. Lleno de enfermedades, ya la vida no tenía valor para él. Llegó el momento que quería que todo terminara pronto, deseando su propia muerte.

Un día, en que teníamos una vigilia evangelizadora en la Calle 144 y la Avenida Willis en el condado de El Bronx, Héctor había subido a un edificio abandonado de seis pisos provisto de una gran cantidad de heroína sin saber que, muy cerca de allí, se llevaría a cabo el encuentro de los Misioneros de Jesús.

Se inyectó la heroína y en su intoxicación decidió quitarse la vida. Recuerdo que estaba predicando sobre el amor de Dios. Hacía referencia a cuánto el Señor ama a sus hijos, independientemente de los errores o equivocaciones que ellos cometan. La misericordia de nuestro Padre no tiene límite. Él es bueno y compasivo a la hora de perdonarnos.

Amplificadas por el sonido, esas palabras comenzaron a correr por toda aquella calle, extendiéndose por el vecindario y llegando hasta donde él estaba, en aquel edificio ubicado en las inmediaciones. El mensaje se escuchaba de un modo tan potente que no era posible para Héctor no entenderlo.

En primer lugar, al advertir que mis palabras decían que Dios nos amaba a cada uno de un modo muy especial,

tal afirmación le provocó risa, la que rápidamente transformó en ira. Tal rabia aumentaba cada vez más a medida
que Héctor recordaba todo su pasado, cuestionando el
amor de Dios. Afirmaba una y otra vez para sí mismo que
si Él realmente existiera, no habría permitido que tantas
cosas penosas le sucedieran en su vida. Es así que este
hombre peleaba mentalmente contra el mensaje que yo
predicaba.

Héctor no sabía que Dios lo estaba buscando, que
lo llamaba suavemente al oído. Sin embargo, él pensaba
que lo que debía hacer era bajar del departamento donde
estaba "para matar a ése que está hablando." Héctor se
encontraba molesto por todas las palabras que salían de
mi boca.

Su irritación tenía como fundamento las heridas que
acarreaba desde el momento de su concepción, agravada
por la influencia de la heroína. Entramos en el momento de
la oración y comencé a enunciar las distintas etapas de la
vida para que Dios nos fuera sanando a cada uno, como así
también hice referencia a maltratos, abusos, soledad, falta
de amor y de comprensión.

Héctor prestaba atención a todo lo que se decía. Asimismo, se preguntaba mientras seguía observando el encuentro desde el sexto piso, cómo es que el hombre que
está hablando conoce mi vida. Pero no tardaba en con-
vencerse que no podía ser él, ya que su situación no tenía
remedio.

Por ello, es que una vez más decidió cumplir su decisión
previa de quitarse la vida. Cuando llegó al borde del techo y
contemplaba la calle para saltar, el Señor me dio una palabra de conocimiento y empezó a aclamar a un hombre llamado Héctor. Repetía lo que sentía en mi interior y era que
el Señor estaba sanando el corazón herido de esa persona.
"¡Héctor, Él conoce todo lo que has vivido y sufrido!", le decía. Insistía en que Dios estaba sanando sus heridas.

Héctor escuchaba mis palabras en las que invitaba a
dicha persona para que pasara adelante a dar su testimonio. Sin ningún resultado yo seguía pidiendo que se acer-

cara, mientras él se decía así mismo "no puedo ser yo". Se repetía una y otra vez que no podía lograr el perdón de Dios, por haberlo ofendido en reiteradas ocasiones. Cuando, todavía Héctor estaba parado en el borde mirando hacia abajo, el Señor me dio otra palabra y grité: "¡Héctor, no lo hagas!" "¡No te quites la vida, yo te amo porque soy tu Padre!"

Cuando Héctor recibió esas palabras se retiró de la orilla del techo y comenzó a llorar sin consuelo. Yo seguía llamándolo y hablándole. Le decía que él valía la pena. Que era como una joya preciosa a los ojos de Dios. "¡Jesús murió por ti, déjate amar por Dios y ven a Él!", agregué por último.

Héctor bajó del edificio aún en sollozos. Poco a poco llegó donde estaba y me dijo: "Yo soy Héctor." Contemplé a un señor sucio, de pelo largo hasta la cintura y todo intoxicado. Le dije cuánto Dios lo amaba, invitándolo esa noche a aceptar a Jesús en su vida. El amor del Señor lo sanó totalmente de sus heridas y lo liberó de sus vicios.

Actualmente Héctor le sirve a Dios. Después de treinta años de no ver a sus seis hermanos, se reencontró con ellos y también los llevó a Jesús.

¡Gloria a Dios!

Amadísimo hermano:

Hace pocos días, escuché una explicación dada por el Padre Pedro Núñez -en una homilía dada en un congreso que se llevó a cabo en Nueva York-, muy poderosa acerca del porqué nosotros, los hijos de Dios, no somos unos cualquiera. Él decía que, antes de nosotros ser concebidos en el seno materno, una guerra de millones de espermatozoides representando cada uno de ellos una vida diferente entraban en carrera hasta llegar a su meta: fertilizar el óvulo. Decía el Padre Núñez que las probabilidades de que tú y yo hoy estuviéramos aquí, vivos, es de un millón a quinientos millones. En otras palabras, tú tienes más probabilidades de ganar todas las loterías de tu país que de nacer.

Tú venciste esa enorme cantidad de luchadores y lo hiciste para poder tener vida. Desde tu nacimiento has sido un vencedor.

Amén.

"El oír de la palabra de Dios"

Dice Romanos, 10:17 que "la fe viene por el oír y el oír de la Palabra de Dios." Es increíble ver la cantidad de gente que ha cambiado por escuchar un mensaje de fe, una palabra de esperanza.

Nuestro ministerio ha reconocido que el mensaje de fe es lo más importante para nuestra Iglesia en los tiempos que estamos viviendo. Una prédica que proclama un Cristo vivo, un Cristo que sana y un Cristo que salva. Esas enseñanzas por medio de la palabra se han extendido alrededor del mundo, a través de los distintos medios de comunicación, de casetes y de discos compactos, para mencionar sólo unos ejemplos. Son muchos los testimonios que nuestro ministerio tiene archivados de personas que han tenido encuentros con Dios por haber escuchado estos mensajes. El testimonio que voy a relatar a continuación es uno de los más impactantes que nos han ocurrido.

De repente, al mirar hacia adentro de la casa, vieron mucha gente que salía corriendo de allí, asustados y alarmados por lo que había ocurrido.

Tiempo atrás, una joven salvadoreña seguidora de nuestras misiones, se estaba muriendo de cáncer. Esta señorita había asistido en varias oportunidades a nuestros encuentros en aquel país, habiéndose deleitado no sólo con las alabanzas de los Misioneros de Jesús sino también con las prédicas. Tanto le gustaban, que generalmente después de escucharlas las compraba, pero, después de mucho uso, se arruinaron. Estando ella enferma, dos de sus primos tenían que hacer un viaje a los Estados Unidos. Por eso, no dudó en pedir que le llevaran la misma alabanza que ella tenía, accediendo sus parientes a cumplir con el encargo.

Al llegar ellos al estado de Washington, comenzaron a preguntar dónde se podía conseguir aquel material de los Misioneros de Jesús, habiéndoles alguien comunicado el sitio donde poder adquirirlo. Allí fueron los dos primos a comprar los discos compactos que contenían alabanzas y prédicas. Una de ellas, se trataba de un mensaje sobre la resurrección de Jesucristo y en ese mensaje se hablaba del poder envuelto en aquel hecho de tanta trascendencia. Hacía referencia a que, junto con Cristo Jesús, resucitaron también otros muertos. Dichos muertos salieron de sus tumbas por el poder de la resurrección de Jesús.

A su regreso a El Salvador, después de la breve estadía en Norteamérica, en el aeropuerto se encontraban algunos de sus familiares. Lamentablemente, tenían para darles la triste noticia de que su prima, a quien ellos tanto querían, acababa de fallecer. Al llegar a la casa, donde ya la estaban velando, se reunieron con el resto de sus parientes, quienes lloraban sin consuelo la muerte de esa joven. Uno de los primos, se dirigió al equipo de música y colocó, a todo volumen, la alabanza que ella tanto había pedido. Pero la gente allí reunida pedía que se bajara, mientras él insistía en que ella quería escuchar esa alabanza. Ahí pues, se quedó llorando junto al cuerpo sin vida de su prima.

Al finalizar esa cinta, colocó la prédica que, como dije anteriormente, hablaba sobre el poder de la resurrección de Jesucristo, en la que decía que dicha resurrección alcanzó también a otros muertos. En ese momento, mientras la prédica inundaba el ambiente por lo alto del volumen, hasta quienes se encontraban afuera pudieron entender claramente las siguientes palabras que yo decía: "...y los muertos resucitaron." De repente, al mirar hacia adentro de la casa, vieron mucha gente que salía corriendo de allí, asustados y alarmados por lo que había ocurrido. Cuando fueron a investigar, su prima que había muerto, se había levantado de ella al igual que lo habían hecho quienes resucitaron con Cristo.

¡Gloria a Dios!

Amadísimo hermano:

No sé cual sea tu circunstancia, pero Dios buscará la manera para glorificarse en ti. El mismo Dios que resucitó a Lázaro y le devolvió la vida a la niña de este testimonio, te levantara a ti de tu situación. Pon tu confianza en Él y permite que otros escuchen el testimonio que el Señor hará en ti.

Amén.

"Dios llama a existir lo que aún no existe"

A veces las peticiones que el pueblo eleva a Dios son muy curiosas, pero Dios no tiene limitaciones. Se encuentra fuera de nuestra comprensión hasta donde Él puede llegar. Las únicas restricciones que tiene son las que nosotros mismos le ponemos.

Estando en una misión en Centro América se me acercó una joven quien me dijo: "Hermano Neil, no sé que me pasa, ya que cada vez que conozco a alguien y creo que puedo llegar a tener una relación con él siempre pasa algo que se termina destruyendo." Hablé un poco con ella para discernir si descubría alguna razón por la cual todo intento de tener una pareja fracasaba, pero no encontraba ningún motivo que lo justificara.

Dios no tiene limitaciones. Se encuentra fuera de nuestra comprensión hasta donde Él puede llegar.

Se trataba de una muchacha bonita, inteligente, cristiana y de buena familia. No entendía porqué tenía dificultades para formar una familia, por lo cual le dije: "Quizás tu llamado no sea el de contraer matrimonio. Tal vez estés llamada para la vida religiosa." Pero ella me contestó que, en varias oportunidades, asistió a retiros vocacionales y que estaba convencida de que no era la voluntad de Dios para ella. Le pregunté entonces: "Hermana, ¿le has pedido tú a Dios lo que tanto deseas?"

Ella me respondió: "Si hermano Neil, le he pedido a Dios un esposo." Cuando ella me dijo esas palabras, entendí porqué no estaba llegando su bendición. Todos nosotros tenemos que aprender a ser sinceros con Dios, a vencer las propias inseguridades sobre lo que es su voluntad y a ser específicos con Él. Después que uno sabe lo que quiere, uno debe pedírselo, sin jugar, siendo veraz y libre de fingimiento.

Muchas personas no se animan a pedirle cosas a Dios, puesto que lo ven como un atrevimiento, como que no puede o no quiere darnos lo que tanto anhelamos en nuestro interior. La Biblia nos dice textualmente: "Deléitate en el Señor y Él te concederá las peticiones de tu corazón" (Salmos, 37:4). Yo estoy convencido que para que tu petición se manifieste tienes que, en primer lugar, desearlo con todo tu corazón. Cuando ya sabes lo que quieres, pues ¿quién más te lo puede dar? Solamente Dios.

Así, le dije a la hermana: "Tu problema es que le estás pidiendo a Dios por un esposo pero, ¿sabes cuántos tipos diferentes de hombres existen? Cientos de ellos: blancos y morenos, altos y bajitos, flacos y gorditos y así sucesivamente. Sé específica con Dios y especialmente sé sincera. Ya que tú sabes que tipo de hombre estás buscando, pues pídeselo al Señor de ese modo. Ella me respondió con una pregunta, como si su petición fuera un pecado: ¿De veraz, hermano Neil?

Le contesté con mucha seguridad. No tengas pena, dile lo que quieres. Pero creyendo que Él te escucha y que recibirás lo que estás pidiendo. Le dije que hiciéramos un ejercicio espiritual. La invité a que cerrara sus ojos e imaginara, como si estuviera dibujando, al ser que tanto deseaba para contraer matrimonio. La ayudé a que lograra describir mentalmente la clase de hombre que le gustaría conocer. Entonces le pregunté si lo quería alto o bajito, a lo que me contestó que alto. Por otra parte, si lo quería flaco o gordito, respondiendo que lo quería de tamaño mediano, como así también me manifestó que deseaba que tuviera la piel blanca y ojos azules. Además, dijo que quería que fuese maestro, igual que ella y el resto de su familia.

Fue, luego de aquella minuciosa descripción, que la interrogué interesado en saber si ya lo veía y ella me contestó afirmativamente. Le dije, pues, que diéramos gracias a Dios por ese hombre que creemos que le concedería. Pero, antes de que comenzáramos a agradecer, ella me interrumpió para decirme lo siguiente: "Se me olvidó agregar que tiene que ser creyente, añadiendo por último que le gustaría que fuera músico y que le cantara a Dios." Le pregunté lo mismo, ¿lo ves ahora? Respondiéndome que sí, por lo cual dimos gracias al Señor por esa persona que en fe estábamos convencidos que le concedería. Antes de que se fuera, le dije que no olvidara todos los detalles que le pidió a Dios acerca de su futuro esposo. De ese modo, evitaría ser engañada por el diablo con una imitación.

Al poco tiempo, una tarde, el padre de esa mujer llegó a su casa del colegio con varios compañeros de trabajo. Entre ellos, había un joven alto, blanco, de ojos azules y de contextura mediana. Ella, inmediatamente, notó que el hombre reunía las características físicas que le había pedido al Señor. Además, mientras todos conversaban acerca de temas de actualidad, él no dejaba de hablar de Dios. ¿Sería el hombre que ella tanto había pedido?, se preguntaba una y otra vez. No podía dejar de recordar mi frase final, es decir, que no olvidara todos los detalles que le pidió a Dios.

Ella, mentalmente, trataba de recordarlos uno a uno. Aparentemente, el hombre lo tenía todo, salvo que fuera músico y le cantara a Dios. Pero la joven se preguntaba cómo poder averiguar eso. Fue entonces que decidió traer la guitarra de su habitación y la colocó en un lugar visible. Pero, él no le prestó ni la mínima atención al instrumento musical. Ella estaba, cada minuto que pasaba, más que preocupada ya que los invitados se estaban despidiendo y el hombre continuaba sin mirar ni siquiera la guitarra. Ella confiada pensó: "Si es de Dios, lo hará antes de irse."

En el momento que estaba saludando, observó la guitarra, se acercó, la tomó y empezó a cantar canciones a Dios. Fue así que se conocieron, se enamoraron y en el lapso de un año se casaron. En la carta que recibí me contaron que ya tenían tres lindos hijos.

¡Gloria a Dios!

Amadísimo hermano:

¿Qué es lo que tú crees recibir? Eso que tú crees es lo que recibirás. Tenemos un Dios que honra fe. Además, es no sólo detallista, sino específico. Él espera eso mismo de nosotros. Órale con sinceridad, ya que tú sabes lo que quieres. ¿A quién más vas a elevar tus peticiones sino a Él? Pídele con fe y te lo concederá. "Por eso les digo: todo lo que pidan en la oración, crean que ya lo han recibido y lo obtendrán", dice la Biblia en San Marcos 11:24.

Amén.

Las Torres Gemelas de Nueva York

Un día domingo, en la Gran Asamblea de Nueva York, mientras oraba junto con el ministerio antes de comenzar el servicio de la tarde, el Señor claramente me mostró una explosión. Como consecuencia de ella, se veía fuego, humo y vidrios rotos, entre otras cosas. Me hizo saber que alguien del ministerio resultaría afectado por esa situación. Para evitarlo debíamos ayunar por tres días, con la finalidad de que Él mostrara su poder en ese servidor.

Después de concluir los tres días de ayuno que comenzamos el lunes siguiente, conforme me fue indicado por el Señor, nos reunimos al cuarto día para orar, darle las gracias y nos abrazamos todos en el amor de Él. Seguíamos aún sin saber quién sería la persona que iba a atravesar dicha prueba. Dentro del ministerio se encontraba una de nuestras hermanas llamada Jackie Román, quien trabajaba en las Torres Gemelas. Ella estaba cumpliendo su labor el día jueves 26 de febrero de 1993 por la mañana, como todos los días. De repente, no sólo escuchó sino que vio la explosión que hizo mover

Dios cuida y protege a sus hijos, pues es un Dios fiel.

aquellas colosales torres, quebrando los vidrios e invadiendo el humo todas las oficinas. Las alarmas alertaban de la catástrofe, provocando pánico entre quienes se encontraban allí. Además, se sumaban el caos y la confusión que reinaba en el ambiente con el intento desesperado de la gente por salir del lugar para salvar su vida.

Todos huían hacia la misma dirección, víctimas de la histeria colectiva. Jackie, al observar lo que estaba pasando, sólo recordó el mensaje que el Señor me había dado el domingo anterior. La servidora en nuestra comunidad, a diferencia del resto, se sintió sobrecogida por una inmensa paz. Misteriosamente, sintió cómo una mano la dirigió hacia una salida contraria a la usada por el resto de la multitud, que corría asustada hacia una misma dirección. Así, con confianza plena en el Señor, continuó su camino descendiendo por unas escaleras que la llevaron afuera del edificio por la parte de atrás. Una vez en la calle, advirtió el sinnúmero de heridos, maltratados e intoxicados que había en la entrada principal por donde la mayor parte de la gente había tratado de abandonar la torre.

Ella, sin embargo, salió completamente sana y salva dándole gracias al Señor. Él cuida y protege a los suyos. Él es un Dios fiel.

¡Gloria a Dios!

Amadísimo hermano:

En este momento, te pido que ahí donde tú estás ores conmigo por todas las víctimas del acto terrorista del 11 de septiembre de 2001. Pidamos al Señor por todos los inocentes que murieron aquel doloroso día, por las familias que se quedaron sin sus seres queridos y por aquellos que aún hoy se preguntan por qué ocurrió tal tragedia. Señor, derrama tu paz en cada uno de esos hogares. Envíala también al mundo entero.

Amén.

El joven que cayó del techo

Estábamos en El Salvador, en el pueblo de Sonsonate. La reunión era a las 8 p.m. en el coliseo de aquel lugar. Eran apenas las cinco de la tarde y el coliseo estaba completamente lleno, según nos iban informando los organizadores telefónicamente. No entraba ni una sola alma más.

Al llegar junto con los Misioneros de Jesús, advertimos que en la parte de afuera había más personas que adentro. Faltando aún tres horas para que comenzara la actividad, los hermanos a cargo del evento no tuvieron otro remedio que cerrar las puertas para que nadie más pudiera entrar. Por esa razón, muchísima gente quedó sin poder hacerlo.

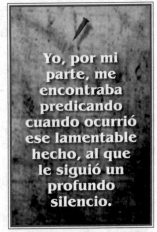

Yo, por mi parte, me encontraba predicando cuando ocurrió ese lamentable hecho, al que le siguió un profundo silencio.

Para solucionar el problema, los organizadores también colocaron parlantes en el exterior para que, quienes se encontraban allí, pudieran escuchar claramente. Pero, igualmente, reinaba el descontento. No conformes con ello, muchos intentaron subir por los costados del coliseo, usando los huecos de ventilación. Por ahí se asomaban para mirar el encuentro. Otros, habían logrado llegar hasta el techo del coliseo y buscando las partes rotas metían sus cabezas y miraban todo lo que iba ocurriendo desde arriba.

No pude evitar recordar en aquel momento, el evangelio que describe a unos hombres que llevaron a un paralítico para que Jesucristo lo sanara. También encontraron que la casa estaba llena de gente y no podían entrar. Ellos entonces buscaron la manera de hacerlo: subieron al techo y le hicieron un agujero por donde bajaron a la persona impedida, San Marcos, 2:1-5.

Teniendo ello en mente, animaba a las personas a que tuvieran fe aunque no hayan logrado ingresar al lugar del encuentro. Que oraran al Señor para que también se manifieste allí con poder. Uno de los hermanos instalado en el techo, desde donde miraba por la parte rota de ventilación todo lo que ocurría en la asamblea, provocó -por su propio peso- que el material que cubría parte de la sala cediera. Así fue que dicho joven cayó fuertemente golpeando contra una silla y haciéndola pedazos instantáneamente. Todos los allí reunidos pensaron que el joven había muerto.

Yo, por mi parte, me encontraba predicando cuando ocurrió ese lamentable hecho, al que le siguió un profundo silencio. No me desesperé ni angustié ya que no tenía dudas que el diablo estaba enojado, buscando cómo destruir la obra de Dios. La forma que eligió en aquella ocasión para conseguir su fin era tratar de aniquilar la fe de las miles de personas allí reunidas con la muerte de uno de los concurrentes. Le pedí al Señor que no dejara que el diablo se saliera con la suya.

De repente, aquel hermano que había caído de semejante altura, que había roto en mil pedazos la silla, se levantó sin siquiera un rasguño en todo su cuerpo, sentándose en un asiento que le fue inmediatamente facilitado. Al finalizar el encuentro, dio su testimonio de cómo Dios lo había protegido.

Haciendo una broma les hablé a los hermanos que se encontraban fuera y les dije: "Esa es la única forma en la que ustedes pueden conseguir un lugar aquí dentro del coliseo."

¡Gloria a Dios!

Amadísimo hermano:

La fe es atrevida y no descansa hasta alcanzar la gloria de Dios. La fe te lleva a romper esquemas, a eliminar los temores, ya que va más allá de los límites establecidos por los hombres. Padre, en el nombre de Jesús, te pedimos que nuestra fe pueda imitar a aquellas personas que levantaron el techo de una propiedad ajena, bajaron por el boquete la camilla de un paralítico, seguros de alcanzar sanidad para un hombre que había estado postrado toda su vida. Pídele a Dios, en este instante, esa fe atrevida. Una fe que mueva montañas, que no se intimide ante los retos ni ante el tamaño o autoridad de las circunstancias. Una fe que no descanse hasta no encontrar la gloria de Dios.

Amén.

Maná que cayó del cielo

Voy a contarles este testimonio que dejé para el final, pero pondré mucho cuidado en explicarlo ya que se trata de un caso que aún hoy se encuentra bajo estudio en la República Dominicana. No obstante ello, decidí incluir lo que estos ojos contemplaron en el encuentro realizado en un coliseo en dicho país.

Una señora que vive en un campo en la República Dominicana, está experimentando ciertas gracias, bendiciones y fenómenos en su vida que, para los ojos de los hombres, no tienen explicación.

Cuando leo el éxodo del pueblo de Israel hacia la Tierra Prometida siempre me detengo en el pasaje donde Dios hizo caer maná del cielo para así alimentar a sus hijos o fieles y darles vida. Siempre me pregunto cómo debe haber sido ese día tan especial. Ellos muriendo de hambre, sin nada con qué alimentarse y, de repente, al dirigir la mirada al cielo ven pan que caía de él, enviado por Dios para que pudieran nutrirse.

No esperaba que Dios fuera a bendecidme ese domingo, en aquel coliseo, donde celebramos la inauguración de Radio Jesús es el Señor.

Siempre comparé esta escritura con la Eucaristía, puesto que Jesús se convirtió en pan para alimentarnos espiritualmente y darnos vida eterna. Pero no esperaba que Dios fuera a bendecirme ese domingo, en aquel coliseo, donde celebrábamos la inauguración de Radio Jesús es el Señor, emisora nuestra en dicho país.

Aquel domingo el coliseo albergó a más de ocho mil personas entre el arzobispo, sacerdotes, religiosas y laicos. Todos ellos se dieron cita para festejar la nueva bendición de Radio Jesús es el Señor, frecuencia 750 a.m. Fue un día muy ungido con prédicas, alabanzas y cantos al Señor. Ya sobre el final, hicimos la oración por los enfermos como es nuestra costumbre.

Comencé la oración y motivaba a todos a acompañarme mientras la dirigía. También hacía lo mismo con la gente ubicada en el segundo piso, a quienes miraba e invitaba a que me acompañaran en la oración. Mientras mi vista estaba fija en las gradas del segundo nivel, inesperadamente observé que algo caía del techo del coliseo. Al principio, pensé que era un pedazo de pintura blanca. Luego, por el movimiento que hacía en el aire, creí que se trataba de un insecto o mariposa de igual color. Como me llamó mucho la atención, seguí aquello con mi mirada.

Quiero hacer la aclaración que, durante aquella oración, Dios derramó su poder al pueblo, quien comenzó a sanar de todo tipo de enfermedades. También las circunstancias que la gente llevó aquel día, comenzaron a modificarse. Por eso, ciegos, sordos y paralíticos, entre otros, recibieron su bendición.

Invité a los que habían sanado a que pasaran adelante. Para mi sorpresa, toda la parte de abajo del coliseo se llenó de personas emocionadas que querían contar los testimonios de lo que Dios había hecho en ellos ese día. Algunos hasta subían a la tarima con el deseo de brindar la versión de cómo el Señor se les había manifestado.

Mas yo sigo con mis ojos lo que creía era un insecto que estaba cayendo rápido. Al mirar hacia la placa del coliseo veo a una señora de baja estatura, que se dobló de un modo que nunca vi que nadie hiciera y, al abrir la boca, le cayó allí adentro. Asumí que la mujer había tragado el insecto.

Como el poder de Dios se estaba manifestando grandemente, me olvidé de lo que había visto y me concentré en el pueblo que no dejaba de regocijarse en dicho poder. Pero, aquel gozo fue interrumpido rápidamente por gritos histéricos emitidos por muchísimas de las personas allí presentes. Cuando miré hacia donde provenían los ruidos vi en la boca de la señora, en la punta de su lengua, en posición vertical lo que parecía una hostia blanca.

He leído y escuchado que, algunos santos han experimentado algo semejante durante el transcurso de sus vidas. Pero, yo mismo, nunca había visto nada parecido aunque, si puedo afirmar, mis ojos han visto la gloria de Dios muchísimas veces. Continué con la oración tratando de opacar un poco lo que había ocurrido. Sin embargo, todos los presentes en aquel coliseo, es decir, alrededor de ocho mil personas lo contemplaron conmigo.

Se nos pidió prudencia al respecto, mas no pude dejar este hecho de tanta trascendencia fuera de este libro. El caso todavía se está estudiando y, una vez finalizada la investigación, acataré el dictamen de la Iglesia.

Sin embargo, no puedo dejar de pensar que Dios me permitió ver aquello que tantas veces reflexioné acerca del día en que el pueblo de Israel recibió el maná caído del cielo.

¡Gloria a Dios!

Amadísimo hermano:

En este momento agradezcamos juntos al Señor mediante la siguiente oración. Padre, te doy gracias por el maná que has enviado del cielo. Así como alimentaste en el desierto al pueblo de Israel, hoy nos sigues alimentando en el desierto de nuestras vidas con el pan del cielo: la Eucaristía. La Santa Comunión es nuestro alimento espiritual, nuestra fuerza y nuestro sostén. Jesús se hace una realidad en un pedacito de pan, donde podemos afirmar que Dios es con nosotros.

Amén.

¡Queremos saber de ti!

Si este libro ha sido una bendición en tu vida y quieres compartir tu experiencia con nosotros, escríbenos a la siguiente dirección:

MDJ Ministries Inc.
826 East 166th Street
Bronx NY 10459

Te invitamos a que visites nuestra página
Web: www.misionerosdejesus.org o nuestra tienda
para ordenar más ejemplares del libro *"Por sus llagas"*
o cualquier otro material del hermano
Neil Velez.

Por último, puedes comunicarte con nosotros a través del correo electrónico: porsusllagas@hotmail.com